Walter Mosley

1952'de Los Angeles'ta doğdu. Amerika'nın en tanınmış gizem ve polisiye yazarları arasında sayılan Mosley'nin yirmiden fazla dile çevrilmiş kırktan fazla kitabı bulunuyor. Farklı türlerde romanların yanı sıra öyküler ve denemeler de yazıyor. Kitaplarından yapılan film uyarlamaları arasında *Devil in a Blue Dress* (1995) ve *Always Outnumbered* (1998) sayılabilir. Bugüne dek Edgar Allan Poe En İyi Roman Ödülü, O. Henry Öykü Ödülü, PEN Amerika Hayat Boyu Başarı Ödülü gibi pek çok ödüle değer görüldü. New York'ta yaşıyor. Notos Kitap'tan çıkan öbür kitabı: *Bu Yıl Romanını Yazıyorsun* (2019).

Oğuz Tecimen

1990'da Ankara'da doğdu. Boğaziçi Üniversitesi Batı Dilleri ve Edebiyatları bölümünü bitirdi. SOAS'ta din çalışmaları ve antropoloji, Galatasaray Üniversitesi'nde felsefe okudu. 2012'den beri editörlük ve çeviri yapıyor, bazen de yazıyor.

Walter Mosley

Kurmacanın Unsurları

Notos Kitap 182
Eleştiri Deneme 010

Birinci Basım Kasım 2020

ISBN 978-605-7643-35-3

Sertifika 16343

Editör
Tila Sadeki

Kapak Tasarımı
Mehmet Zeytin

Notos Kitap Yayıncılık Eğitim Danışmanlık
ve Sanal Hizmetler Tic. Ltd. Şti.
Ömer Avni Mahallesi, Prof. Dr. Tarık Zafer Tunaya Sokak
No: 11/6 Gümüşsuyu, Beyoğlu İstanbul
0212 243 49 07
www.notoskitap.com
facebook.com/NotosKitap
twitter.com/NotosKitap

Baskı ve Cilt
Mega Basım
Cihangir Mah. Güvercin Cad. No:3/1
Baha İş Merkezi A Blok 34310
Haramidere Avcılar İstanbul
Sertifika 44452
0212 412 17 00

Walter Mosley
Kurmacanın Unsurları

Deneme

İNGİLİZCEDEN ÇEVİREN
Oğuz Tecimen

İçindekiler

Bu kitap John Singleton'ın anısına
adanmıştır. Tanıdığım en nevi şahsına
münhasır, en yaratıcı kişilerden biri.

Önsöz

Bu incelemenin konusu hikâyeyi aşan bir roman yazma umudu. Yazarın hem anlamın derinlerine daldığı hem de iyi bir olay örgüsü kurguladığı bir roman. Adım adım mükemmel hikâyeyi yazmanın reçetesini veren bir kılavuz değil elinizdeki kitap. Bu denemenin amacı kurmaca yazmanın unsurlarının iç yapısını keşfe çıkmak. Başka şeylerin yanı sıra bu unsurlar: karakter ve karakter gelişimi, olay örgüsü ve hikâye, Ses ve anlatı, bağlam ve tasvir, içerik ve boş sayfa, son olarak elbette bilinçli yapı ile bilinçdışının uçsuz bucaksız hazineleri.

Bu denemenin gayesini ve kurmacanın unsurlarının çizgisel olmayan ilişkilerini göz önüne alınca konuyu sistematik değil, düşüncenin seyrine göre akan bir yaklaşımla ele almaya karar verdim. Demem o ki kurmaca yazımında Başaristan'a giden bir yol haritası olduğuna inanmıyorum. Başarı düzeyini ölçecek tutarlı bir kural yok. Yazarın kendi yapıtından memnun olması da elinden gelenin en iyisini yaptığı anlamına gelmez. Naçizane de olsa yeni bir alan açmadıysanız baş, orta ve sonun iyi kurgulanmış olması bir anlam ifade etmez.

Ciddi bir yazara bu zorluklar öngörülemez, başa çıkılmaz ve göz korkutucu gelebilir – kendi seçtiği bir ringde tanımadığı bir rakiple karşı karşıya gelmek gibi. Yazarın amacı hikâyenin bu müsabakadan ideal haliyle sağ çıkmasıdır. Hikâyenin amacıysa o erişilmez özgürlük ödülüdür. İki rakip de mutlak zafere ulaşamasa da bir şekilde yenilgiyi tadar – bazı durumlarda harikulade bir yenilgi olur bu.

Neyse ki hem yazarın hem de eserin şansına başarısızlık, hikâyelerimizin kaynağındaki temel bir hammaddedir. Başarısızlık, hikâyelerimizin negatif alanını çevreler; bize yol gösterir, bir şeyler öğretir, her türlü emelden daha da fazla bize niyetlerimizi sevdirir. Başarısızlık hikâyelerimizi güçlü kılarken gönlümüze tevazu zerk eder.

Kurmaca neredeyse hiç yoktan bir şey üretme potansiyeline sahip olduğumuz az sayıdaki yapıcı insan faaliyetinden biridir. Böyle bir simyada başarısızlık reçetesi de vardır, mucize umudu da.

"Hiç yoktan" derken şunu kastediyorum: Hikâyelerimizi yaratırken neredeyse hiç fiziksel malzeme kullanmayız. Yağmurlu bir günde, dolapta yiyecek yokken durduk yere bir kurt ile küçük bir kız hakkında torunlarına anlatacağı bir hikâye uyduran yaşlı birisi olabilir *yazar*. Hikâye anlatıcısının tek ihtiyacı sözcükler, hayal gücü ve sevgidir – illa bu sırada olması gerekmez tabii. Bu malzemelerin fiziksel varlığı ancak *eser miktarda*dır. Anlatılan hikâye her gün değişebilir, çocukların ileride hatırlayacağı da muhtemelen çok farklı bir masal olacaktır.

Hiç yoktan bir şey.

Kurmacada kullanılabilecek bol miktarda doğal kaynak vardır: dil, dile getirememe, duyular ve yaşadığımız, hayal ettiğimiz, deneyimlediğimiz dünyayı duyularla sürekli yeniden değerlendirmemiz. Bu kaynaklara hem bilinçli hem de bilinçdışı yollarla, güvenilir ve güvenilmez anımsamalarla erişiriz.

Soruşturmamızın ana kısmına geçmeden önce değinmem gereken son bir şey var: *yoğunlaştırma*. Ana metinde bu kelimeyi kullanmasam da kurmaca yazmanın dile getirilmeyen başat bir unsurudur bu. Roman böyle yazılır: Dünyadan küçük bir parçayı alırsın (örneğin Saint Louis'in eskide kalmış emniyet teşkilatı kültürünü) ve konuyu sadece anlatılan hikâyeye ilişkin unsurlara sıkıştırarak şekillendirirsin. Bunu başardığında ayarında bir olağanlık eklersin ki sonunda hem inanılmaz ama gerçek hem de sıradan ama vurucu bir hikâye ortaya çıksın. Öyle ki Saint Louis'in orta yaşlı eski polisleri okurun bütün dünyası olsun, zihinlerinin algılayabileceği kadar, hatta ondan da büyük bir dünya haline gelsin. Böyle deneyimleriz dünyayı. İyi romanlar da böyledir.

Giriş

Yıllar önce *Bu Yıl Romanını Yazıyorsun** adlı bir inceleme yayımlamıştım. Meslekten olmayanlara romanın yapısını en basit haliyle göstermek ve içeriğin nereden gelip nereye gitmesi gerektiğini anlatmaktı maksat.

Bu Yıl Romanını Yazıyorsun'da roman yazmanın en temel ilkelerini vermiştim. Orada şunları söylemiştim: Her gün yaz, hikâyeni anlatacağın bakış açısına karar ver, metafor ve benzetme kavramlarını, olay örgüsü ve hikâyeyi, karakter ve karakter gelişimini, dilin ve şiirin önemini, yazmanın bizzat yeniden yazmak olduğunu anlamaya çalış.

Kitap mütevazı bir başarı yakaladı, ayrıca pek çok yazara ve yazar adayına yazma hedeflerine ulaşmaya dair umut verdiğini duydum. Hatta birkaç yazar kısmen oradaki tavsiyeler sayesinde ilk romanını bitirdiğini söyledi.

Bu ilk romanların ne kadar iyi kotarıldığını bilmiyorum

* Walter Mosley, *Bu Yıl Romanını Yazıyorsun*, çev. Oğuz Tecimen, Notos Kitap, 2019 [2007].

ama bunun pek de önemi yok. Roman yazmak zihnin derli toplu çalışmasını sağlıyor. Bizi eşsiz bir kişisel yolculuğa çıkarıyor. Üstelik yazar çalışkan ve kendine karşı dürüstse dünyayı yepyeni şekillerde görme potansiyelini içeren özgün bir Ses oluşturmasının da yolunu açıyor.

Bu Yıl Romanını Yazıyorsun'dan epey memnunum. Amacına ulaştı. Bana roman nasıl yazılır diye soranları artık bu kitaba yönlendiriyorum, çünkü bu konuda bildiğim her şeyin –en temel haliyle– orada olduğundan eminim.

Şunu da belirtmeliyim ki, *Bu Yıl Romanını Yazıyorsun* roman yazmak için bilinmesi gereken her şeyi anlatmıyor ama iyi bir giriş kitabı, roman yazmak isteyen birinin aşina olması gereken ana yolların haritasını çıkarıyor. Öte yandan haritada olmayan topraklara çıkan, henüz adlandırılmamış pek çok ara sokak ve kestirme, birçok tali yol ve güzergâhın yanı sıra keşfedilmemiş düşünce kıtaları da var. Romancının keşfedebileceği henüz görülmedik, duyulmadık, hayal edilmedik yerler ve ruh halleri var. Bu keşfedilmemiş yerler bazen ilk bakışta tanıdık gelebilir: sokağın köşesindeki bir bakkal, bir kır yolu, rahat bir yatak, bir kapı eşiği. Bu bilindik yerlerde romancı tuhaf ifşalarla, daha önce yaşamadığımız bir suçluluk duygusu ya da inandığımız her şeyi alaşağı eden bir sıradanlık yorumuyla bizi sarsabilir. Mesela bir çocuğun ilk kez rüyalanması. Mükemmel babanın sarhoş ve saldırgan bir halde eve gelmesi. Ölüm. Kapının ardında geleceğini elinde tutan bir yabancı.

Bazı romanlar kuralları en başından değiştirir, bizi başka bir varlık düzlemine götürür, hep korktuğumuz veya nefret ettiğimiz hayvanlara ya da uzaylılara çevirir bizi. Felçli, sağır veya dilsiz birinin bakış açısına kıstırılabiliriz. Hatta doğaötesi, uhrevi hisler aracılığıyla –okurlar dışında– kimsenin ulaşamadığı bilgilere ve hislere erişebiliriz.

Yazdıklarımızda kendi kültürlerinin eşsiz ruhuyla konuşan, açtıkları yollarla bizi okurun belki hayal bile etmediği yerlere götüren karakterler keşfedebiliriz.

Böylesine kapsamlı romanlar yaratmak için yüreğimizin ve zihnimizin derinlerine inmeli, geçmişteki gerçekleri kazmalı ve bir gün geçmişimiz haline gelebilecek bir geleceği hayal etmeliyiz.

Romanların daha önce hayal edilmemiş olanı açığa çıkarma potansiyeli öyle büyüktür ki herhangi bir kılavuzun, başvuru kaynağının, yol haritasının ya da kütüphanenin bu imkânları tüketebileceğine inanmıyorum. Sözgelimi Jules Verne gibi geleceği gören bir dâhi nasıl olunur? Yirminci yüzyıldaki büyük bilimsel gelişmeleri öngören bir yazardı o, neredeyse kimse için mümkün olmayan görünmez dünyaları görmek için masadan kalkması gerekmeyen bir kâşifti.

Başka türden bir seyyahı, Herman Melville'i de düşünebiliriz. Öyle modernist duyarlıkları olan bir yazardı ki kitapları herhangi bir çağın edebiyatının yanında ya da üzerinde durabilir.

Bu yazarlar ve onlar gibi pek çoğu nasıl oldu da geleneğin perdesini yırtıp böylesine güçlü, özgün eserler yarattı, kitapları nasıl başlı başlına canlı varlıklar haline gelebildi? Pek çok yazarın sorduğu ama çok azının tam olarak cevaplayabildiği bir sorudur bu. Hepimizin ruhunda –tutkuyla çalışan kalp ile yapıyla çalışan zihnin yollarının kesiştiği ruhumuzun derinlerinde bir yerde– yapbozun bir iki parçası vardır. İşte bu kitapta geçici de olsa yakalayabildiğim bir yapboz parçasını sunmaya çalışacağım.

İfşa Yapısı

Bu Yıl Romanını Yazıyorsun'da olay örgüsünün amacını açıklamak için kullandığım bir ifade vardı. Şöyle demiştim: *Olay örgüsü ifşa yapısıdır.*

Hem sıradan hem de olağanüstü olduğu için bu yorumun kullanışlı olduğunu düşünüyorum. Basitçe söylersek, olay örgüsü hikâyenin ifşa edildiği yapı ya da prizmadır. Hani *Chinatown* filminde Faye Dunaway'in, *O benim kızım, kız kardeşim, hem kızım hem kız kardeşim*, dediği an gibi. Veya Rex Stout'un polisiye romanlarının sonunda Nero Wolfe karakterinin bize katilin kimliğini açıklaması.

Albert Camus'nün *Veba* adlı romanında bir modern çağ salgınının (mecazen savaşın) yol açtığı kıyımı okuruz. Toplumsal kurumlar yavaş yavaş dağılırken insanlığın en kötü yanlarını görürüz. Ancak kitapta epey yol aldıktan sonradır ki en ılımlı, en talihsiz karakterin hikâyenin kahramanı olacağını anlarız. Yavaş yavaş gelişen bu ifşa bize şunu göstermek üzere tasarlanmıştır: En karanlık zamanlarda bile daima umut vardır, bu umut imkânı –zaaflarımıza, yetersizliklerimize, hatta korkaklığımıza rağmen– hepimizin içindedir.

Hikâyeye dair bir gerçeği ifşa ederken zamanlamayı doğru seçersek okur için çarpıcı, hatta belki de hayat değiştirici bir epifani yani aydınlanma ânı yaratabiliriz. Öte yandan anlatılan hikâyenin gelişimi sırasında yavaş yavaş farkına varılan tali unsurlara kıyasla epifani potansiyeli küçük bir kazanımdır.

Tek ifşa kaynağı olay örgüsü değildir. Hikâyenin yapısı da romanda gerçekleşen ifşalarda ufak da olsa bir rol oynayabilir. Karakter öyle önemlidir ki romandaki kişiler çoğu zaman hikâyeden daha ağırlıklı bir konumda olur. Örneğin Huckleberry Finn, Iago, Dexter, Sherlock Holmes, Madam Bovary, hepsi de içinden çıktığı hikâyeyi aşar. Olayların anlaşılmasını sağlayan yalnızca canlı, nefes alan karakterler değildir. Mimari, hava durumu, topografya da canlanıp kişilik kazanabilir. Biz bu yerleri ve yapıları tanıyıp anladıkça mevcudiyet, anlam ve amaç kazanmaya başlarlar, hatta soyut ve cansız niteliklerinin ötesinde birer karakter haline gelirler.

İfşa yapısı ifadesine dönecek olursak, farklı türden yapılar ve ifşa teknikleri üzerine kafa yorabiliriz; yazdıklarımızdaki potansiyelleri göz önüne alarak eserimizin kendini aştığı muhtelif yolları gösterip yeni ve farklı gerçekleri öne çıkarabiliriz.

Bu gerçekler olay örgüsünde, karakterde, fiziksel görünüşte, mekânda, fikirlerde ve geçmekte olan zamandadır.

Kurmacada Yapı Nedir?

Kalem kâğıda değmeden önce ortada yazar adayının yoğun arzularıyla dolu dilsiz bir kâğıttan başka bir şey yoktur. Boş sayfa ya da ekran içimizdeki bastırılmış, ifade bulamamış umutları ve bilgileri temsil eder. Bir bebeğin annesine, açlığa, korktuklarına dair en derin hislerini dile getirme özlemine benzeyen güçlü bir konuşma dürtüsü duyarız.

Yazar olmak isteyen biri gibi yeni yürümeye başlayan bebek de hikâyesini anlatacağı kelimeleri bulmakta güçlük çeker. Fakat yazar olmayı uman kişinin aksine ufaklığın belirli bir vazgeçme mefhumu yoktur. Arada bir yılgınlığa kapılsa da beden dili, fiziksel temas ve yüz ifadeleri eşliğinde birtakım sesler çıkarmaya devam eder. Hüsrana uğrar ama hemen sonra güler, yerde debelenir ama sonra bir anda burnuna konan sinekle ilgilenmeye başlar.

Bu deneyimlerin her biri çocuğun anlatacağı hikâyenin parçası haline gelir. Devrilip düşmek kahkaha nedeni olur. Sineğin bacaklarının burnunda yarattığı gıdıklanma hissi gülmesine yol açar. Siz anlayamasanız da hüsranı onun bir şekilde ifade etmek istediği öfkeye dönüşür.

Sonunda çocuk kelimeleri bulmaya başladığında sular seller gibi konuşmaya başlar, kelimeleri birbirine bağlamanın yollarını arayarak kendini ifade etmekten sonsuz bir keyif alır; çimenli bayırdan yuvarlanırken dünyadaki her şeyin nasıl birbirine girdiğini, kuşları ve taşları, mavi göğü ve yeşil yeryüzünü, baş dönmesini heyecanla anlatır ve sonunda bütün bunlar gülüşüyle daha da değerli hale gelir.

Bunlar kurmacanın yapısının asal unsurlarıdır. Birbiriyle alakasız gibi görünen deneyimler tek bir bakış açısında bir araya geldiğinde yapı ortaya çıkar. Hikâye yapı içinde doğmaz ama parçalar yavaş yavaş bir araya gelerek sürprizler ve kıyaslarla dolu bir hikâyeye ve çözüme evrilir.

Çocuk hikâye anlatma arzusuyla büyüyüp yetişkin haline gelir. Nitekim biz de anlatarak hem hayatta kalırız hem de varlığımızı kanıtlarız. Çocukluk çimenlerde yuvarlanıp bulutları, böcekleri, yerçekimini hayretle izlemekten ibaret değildir. Bazen çocuk hayal edemediği zorluklarla –açlık, tehlike, terk edilme, ölüm– baş etmek için bir tür mantık da icat etmek zorunda kalır.

İfşanın yapısını ele alırken çocuk aklı mecazını kullanıyorum, çünkü kurmaca ve sanat genel olarak içgüdüsel ve bilinçdışı uğraşlardır. Yazdıklarında ifşa anlarını yaratırken önemli ölçüde zanaat da işin içindedir muhakkak ama kurmacanın sadece mühendislik kısmıdır bu. Hikâye ve okur için önem arz eden şeyi keşfetmek o çimenli bayırdan yuvarlanmaktan geçer. Çocuk, çocuk aklı dünyanın (bizim durumumuzda romanın) kafamızdan, bilinçli deneyimimizden daha büyük olduğunu içgüdüsel olarak anlar.

Boş Sayfa

Pek çokları için bilinmezlik korkusu anlamına gelen boş sayfaya –ve orada bulabileceklerimize– geliyoruz böylece. Kanımca boş sayfa tüm canlıların temel korkusu olan hiçlik, bilmeme ve ölüm korkusuyla da ilişkili.

Benim tavsiyem şu: Boşluğa adım attığında Söz'ün tecelli ettiği boşluğa çocuk gibi yaklaşman, yani hayret ve oyun hissiyatıyla. Önündeki klavye ve boş ekranı, kalem ve tertemiz sayfayı oyuncak olarak gör, alış onlara ve kelimeleri sayfaya dökmeye koyul.

> Suyun yüzeyine çıkmış minik başın ucunu görebiliyordum sadece. Ama kaplumbağanın kocaman gövdesinin suyun altında asılı durduğunu biliyordum.

Bir anı, fikir, hayal. O kaplumbağa sen olabilirsin ya da sabırla senin dirilmeni bekleyen koruyucu tanrın olabilir.

Bir ihtimal bu sözcükler seni bir yerlere götürebilir. Belki de birazdan silip atacağın sözcüklerdir. Önemli değil.

Mesele kavramlar ve imgelerle boşluğa meydan okuyup hikâyenin kapısını açmaya çalışman, bir temayı açığa çıkarman, içindeki dağa giden patikayı keşfetmen, sürekli anlama ve açıklama ihtiyacı duyan çocuğa duyduğun arzuların ve sadakatinle şekillenen, sözcüklerin unutturduğu hakikatle temas kurman.

Yola yeni koyulan yazarların çoğu kurmacada önceden belirlenmiş bir yapı olması gerektiğine inanır. Sonuçta *Dönüşüm*, *Gazap Üzümleri*, *Tanrıya Bakıyorlardı* ve *Dhalgren* gibi büyük kitapları okumuşlardır. Bütün bu hikâyelerin eşsiz bir anlatımı vardır ve bu romanlar dünyevi olanı aşıp insanın yüreğinde, hatta bazen ruhunda yaşadıklarına ulaşacak şekilde yapılandırılmıştır. Büyük edebiyatın yapısında didinme, zorlanma veya kuşku kalıntıları olmaz; bu hikâyelerden güzellik, korku, aşkınlık ve büsbütün insan olmaya dair o biricik canlılık titreşimi tezahür eder. Dili bize seslenerek itiraza yer bırakmayan bilgiyi veren bir tür Hakikat olarak deneyimleriz.

İnsan deneyiminin derinlerine inen bu eserlere yakın şeyler yazmaya kim yeltenebilir ki? Başyapıtlarla rekabet etmeye kim cüret edebilir?

Cevap: çocuk ve boş sayfa.

Çocuk duygulandığı bir imge ya da hikâyeyle temas kurduğunda ya gülmeye başlar ya da hayret içinde onları yakalamaya çalışır. Ya o anda ya da bir gün sonra boş sayfada bu sevinci kutlar.

"Karnımda güneşi hissediyorum" cümlesiyle yazmaya başlayabilir.

El ve ayak parmaklarımdan çıkıyor. Her yere yayılıyor, kocaman mavi yük arabasında taşıyor beni, arabayı kovboy atı çekiyor, kocaman tekerlekleri kırmızı, yanmayan ateşten yapılmış...

Çocuk dilini doğru yansıtabilecek yaşta ya da masumiyette değilim ama umarım bu kadarıyla da çocuğun kendi deneyimiyle rekabet etmediğini veya bu deneyimi taklit etmediğini anlatabilmişimdir. Çocuk kendi deneyimindeki malzemenin ona verdiği armağandan büyük keyif alır.

Boş sayfa büyük edebiyatın, büyük sanatın ve doğadaki olağanüstü manzaraların gösterdiği güzelliğin kutlanması haline gelir.

Romanımız için ilk ve en büyük engeli teşkil eden boş sayfa gündoğumu ışığında kocaman mavi bir göl olur böylelikle. Tek yapmamız gereken göle atlayıp suda çırpınmak, güle oynaya keşfetmektir.

Peki büyük sanat mıdır bu? Hayır. Sanat anlık bir heves ya da havai bir istek değildir. Öte yandan heves olmadan sanat olmaz. Dans etmeyi öğrenirken ara sıra tökezlersin. Araçlara hâkim olmadan hikâyeyi kurmak mümkün değildir ama çocuğun konuşmayı oynayarak öğrenmesinde olduğu gibi, hakikati anlatırken keşfetmek mümkündür.

Boş sayfa yazarın dostudur, seni hikâyeye götürecek kelimeleri keşfetmeye davettir. Hikâyenin nasıl olması gerektiğine dair halihazırda bir fikrin olabilir, zaten boş sayfa da bu fikri yontup gerçek bir şey haline getirmeni sağlar. Yazmaya koyulduğunda neler çıkacağına dair bir fikrin olmayabilir. Tek bildiğin bir zamanlar yabani çileklerin bittiği arazinin artık otopark olduğudur. Hikâyeyi önce hisseder, sonra da boş sayfaya aktarırsın.

Kafandan Daha Büyüktür Roman

Ciddi romancının hemen her zaman karşılaştığı bir diğer engel hikâyenin kontrolünü kaybetmektir. Olup biten o kadar çok şey vardır ki, karakterlerde, ayrıntılarda ya da olay örgüsünde ufacık bir değişiklik romanın akışını her şeyi dönüştürecek bir istikamete çevirebilir.

Diyelim ki hikâye 1918 civarı Brooklyn'de mutsuz bir anne ve ev kadını olan birini konu alsın. Savaş yeni sona ermiş, kocası savaştan vahşi bir adam olarak dönmüştür. Çocukları da mutsuzdur ve ne yapacaklarını bilmez haldedir. Kadın çalıştığı veteriner kliniğinden aniden başka bir yere aktarılır, çünkü yeni klinikteki tecrübesiz veterinere işi öğretmesi gerekir. Eski klinikteki arkadaşlarını çok geçmeden kaybeder ve şimdi yanında çalıştığı veterinere âşık olur, bir yandan da onu *sevip el üstünde tutmaya* ant içmiş adam neredeyse her gece onu döver ve ona tecavüz eder.

Zor ama iyi bir hikâye. Yüz yıl sonra bugün bile Amerikalı kadınların peşini bırakmayan sorunların köküne inen önemli bir vakayiname haline de gelebilir. Geniş yelpazeden okurların anlayıp takdir edebileceği basitlikte bir hikâye olması bakımından da iyi. Yazarın aklındaki biçimiyle, handiyse kendi kendine yazılabilecek bir roman.

Ne var ki yazar her gün yazmaya oturduğunda hikâyenin derinlerinden sorunlar yavaşça ortaya çıkmaya başlar. Bu kadının kocasından kurtulmak için veterinere duyduğu hisleri nasıl temellendirebiliriz? Daha o doğmadan yüzyıllar önce bu talihsiz dramı başlatmış olan tam da bu esaret değil mi? Peki ya kocasının ona karşı işlediği suçlar? Ya bu cürümlerin adını bile koyamayan toplum? Ya çocuklar, karakterleri ve kişilikleri, annelerine etkileri? Ya kadının arkadaşları? Bir hafta önce böylesine kolay görünen bu dramda onlar nasıl bir rol oynayacak?

Peki ya yüz yıl öncesinde henüz teşhis edilmemiş bir durumdan mustarip, işçi sınıfına mensup, savaş malulü kocası? Ya erkeklerin kadınlara her şekilde üstün olduğuna inanan toplum, kültür ve hukuk sistemi?

Ana karakterimiz nasıl biri? Bu kadını kurban olarak mı tanımlamak istiyoruz? Adı Sharon. Sharon'ın babası o doğmadan ölmüş. Annesi Lottie'nin Ilse adında kadın bir ahbabı vardı. Sharon on beş yaşında evden ayrılıp Max Tourneau'yla evlendi, kocası ve çocuklarıyla yeni bir yuva kurdu.

Süfrajet ufukta. Max'i öldürmesi mümkün değil. Yeni âşığı Pete biraz tuhaf cinsel fantezileri olan bir adam ama kadının hoşuna gidiyor bu...

Fakat kocasından şiddet görürken Sharon'ın nasıl sevgilisi olabilir? Belki Max'i ilaçla uyutuyordur. Belki de Pete afyon tentürü katılmış cinle onları ziyarete gidiyor, Max'i şuurunu kaybedene kadar güzelce içiriyor, sonra da karısıyla sevişiyordur.

Görmek istediğimiz Sharon bu mu? Belki de değil. Ama bir insan bataklıkta nasıl temiz kalabilir?

Sharon'ın hikâyesi daha geniş bir dünyanın parçası. Sharon, Pete'le sevişirken Max horluyor, bu arada merhum annesinin sevgilisi Ilse çocuklara bakıyor, Sharon'ın bir karton fabrikasında gece vardiyasında çalıştığını sanıyor. Sharon'ın büyük oğlu Paul babasını tanımasa da ona düşkün. Paul savaş anıları yüzünden geceleri kâbuslar gören babasına destek olmak için Ilse'nin evinden sıvışıp şehrin tehlikeli sokaklarından geçerek eve dönüyor.

Peki Paul'u harekete geçiren ne? 1918'de Brooklyn (ve belki Manhattan) sokakları gece vakti nasıldı? Paul nelerle karşılaşıyor ve bunlara nasıl tepki veriyor?

Bu sorular karakterler arasındaki dramatik etkileşimlerle ortaya çıkıyor, bu etkileşimler de yaşadıkları zamandan nasıl etkilendikleriyle, kişilik özellikleri ve deneyimleriyle şekilleniyor. İlişkiler, bağlar ve yakınlaşmalar fırtınalı insanlık denizinde amansız bir yolculuğu başlatıyor. Bu unsurları sorunsuz işletmek pek mümkün değil. Anlatıcı ses de ayrı bir sorun tabii.

Bu hikâyeyi okuma yazması iyi olmayan Sharon'ın günlükleri şeklinde kurguladın. Belki de bu günlükleri kızının ileride onun gibi ezilmemesi için tutmuştu.

Aha! Belki de bu günlükleri Sharon'ın torunu Charlotte yirminci yüzyıl sonunda, evliliğinin arifesinde okuyor... Yok, yok, olmadı.

Başlangıçta bu roman birinci tekil şahıs anlatısı olarak kuşatılmış bir hayat yaşayan Sharon için bir çıkış yolu olacaktı. Ama şimdi görüyoruz ki Ilse, Paul, hatta belki Max'in de kendi bakış açılarından sunulması gerek ki okur kimsenin anlayamadığı şeyleri anlayabilsin.

Tamam o halde, oldu: Başlıca Sharon'a odaklanarak üçüncü şahıs anlatıcı sesini kullanacağız ve çığırından çıkan bir dünyadaki bir kadının hikâyesini anlatacağız. Zor olacak. Hikâye zaten o kadar geniş ki her sabah yazmaya oturduğunda karakterlerinin söylediklerine ve düşündüklerine şaşırmadan edemiyorsun, üstelik beklemediğin şeyler oluyor sürekli.

Olsun, yine de ortada bir hikâye var. Sharon, Max'i öldürecek mi? Genç Paul, Peter'ı sırtından vuracak mı? Ilse çocukları alıp yirminci yüzyıl başlarındaki türden bir esirgeme kurumuna mı götürecek? Henüz belli değil ama oraya geliyoruz.

Elinde karakter, hikâye, olay örgüsü, yoğun duygusal ve dramatik etkileşimler, anlatıcı sesle beraber kuşaktan kuşağa, çağdan çağa aktarılmış bir tecrübeyi ifşa niyeti var. Mükemmel. Kafandan (bilinçli zihninden) birazcık daha büyük ama idare edilebilir ölçülerde. Yatağa girdiğinde yarın tekrar yazmaya oturmayı dört gözle bekliyorsun, her şeyin yerli yerine oturacağını umuyorsun.

Bahar sonu güneşiyle uyanıyorsun. Işık yatak odanı dolduruyor. Yanında uyuyan birileri var belki. Salonda bir çocuk var, birkaç blok ötede de amfizem hastalığından mustarip bir çift yaşıyor.

Emily Dickinson'ın bir dizesi geliyor aklına: "Bahar'da var olur bir ışık." Dünya her zamankinden farklı olarak bu ışık altında yekpare hale geliyor. Güzel bir ifade, bir süre bunu düşünerek uzanıyorsun, böylesine güzel bir şeyin içinde var olduğun için mutlusun.

Sonra bir düşüncenin gölgesi giriyor araya. Bu bahar ışığının gerçekliği aynı zamanda kurmacanın da gerçekliği. Bir şeyler hepsini bir arada tutmalı. Sharon? Evet, ama yok, olmaz. New York? Hikâye bir yere doğru geliştiği ölçüde olabilir. Bir kadının açmazı? Evet. Ama bu ışık hâlâ romanında dağınık halde duruyor, belli bir yönü yok, aydınlatacağı veya yansıyacağı bir şey yok. Sonra *süfrajet* geliyor aklına: özgürlüğe esen sert bir rüzgâr. Süfrajet: Yıpratıcı, müşfik, talepkâr, tavizsiz bir ses yüksek sesle bir çağrıda bulunarak yüzyıllardır kabul görmüş inançların sesini bastırıyor. Süfrajet sözcüğü *suffering* [acı çekme] sözcüğünü yankılıyor, Sharon'ın acı hayatını.

Evet, şimdi elinde her şey var: karakter, hikâye, olay örgüsü, dramatik etkileşim, anlatıcı ses, ifşa niyeti. Öte yandan yazdığın kurmacaya –basit bir hikâye olmanın ötesinde anlama dönüşmeye aday romana– bağlam da gerekiyor.

Bağlam

Bağlam bulunduğumuz dünyadır: sabah ışığı, çocuk, Tanrı'ya inanmak, belki de kovalama veya kaçış, ancak ölümün doldurabileceği derin bir tutku ya da boşluk.

Melville'in bağlamı okyanus ve büyük beyaz balinaydı. Dickens'ınki yoksullar evi. Mark Twain'in birçok hikâyesinde, Mississipi Nehri'nde kararlılık ve taşkınlıkla çıktığımız yolculuklar. Bağlam. Süfrajet.

Bu düşünceyle birlikte dünya ve romanının karmaşıklığı gitgide artar. Max'in öfkesinin bir nesnesi ve öznesi vardır. Pete "penis"e [*peter*] indirgenir. Çocuklar bir çağın mirasçıları olur. Ilse muştulanmamış peygamberdir. Hikâyenin çoğunu Sharon anlatıyor olsa da olup bitenleri tam olarak anlamayacaktır. Sen de yazar olarak devcileyin bir sorunla karşı karşıyasın. Bu evrensel eşitlik mücadelesini didaktik olmadan, siyasetin edebiyatın önüne geçmesine izin vermeden romana nasıl dahil edeceksin? Hikâyenle birlikte o çağın fırtınasına kapıldığın anda roman gerçek anlamda başlayacaktır.

Sharon'ın kocası kendini savaş cehenneminin ortasında bulduğunda koyverip ölümü kabullendi – ama ölmedi. Eve döndüğünde Sharon'ın hayatını da cehenneme çevirdi. Sharon çaresizliğe gark oldu. Falan filan. Yazdıkça romanın çemberi halka halka genişlemeye başladı. Çözüm bilinçli zihinden değil yazmaktan geçer. Çocuk nasıl gölete atlıyorsa sen de hikâyeye atlamalısın, karakterlerinle beraber girdaba kapılmış gibi savrulmalısın.

Roman kafandan büyüktür, öyle de olmalıdır. Yayımlandıktan yıllar sonra bir okur ya da eleştirmen kitabı eline aldığında romanda senin niyet etmediğin şeyler görecektir. İyi yazının tezahürleri, etkileri, yankıları sonsuza kadar – ya da en azından uzun süre– devam eder.

Karakter

Karakter romanın deneyimlendiği merceği ya da mercekleri sunar. Başkarakterimizin düşünceleri ve karşılaşmaları romanın yeni dünyasına açılan kapılardır. Oyuncular etrafa bakıp gördükleri hakkında yorumlar yapar, bazen söyledikleri ve gördükleri şeyi anladıkları bile olur. Bir bakıma karakter ile yolculuk eşanlamlıdır, çünkü romanda önem arz eden her oyuncu anlatılan hikâyede hareket ederken dönüşüm geçirir. Karakterlerimiz kurgusal olsa da okurlar onları etten kemikten, kalbi ve zihni olan, iyi ya da kötü kişiler olarak algılar, onları çekici ya da itici bulurlar, onlar sayesinde birini, bir şeyi ya da bir deneyimi hatırlarlar, böylece bulunduğumuz dünyayı daha derinden anlar, bir yandan da yaşamakta ve yaşamış olduğumuz *gerçek* hayatlara dair hayati bilgiler edinirler.

Karakter yük hayvanıdır. Yiyeceğimizi ve araçlarımızı, silahlarımızı ve günlüklerimizi, rüyalarımızı ve arzularımızı, hayat boyu biriken ıvır zıvırlarımızı taşır: Adaline'in bir aile ferdinin çalmasından korktuğu için Harriet Teyze'nin üstünden aldığı kolye, karşı apartmanda oturan kadının gizlice çekilen fotoğrafı, Steven'ın konuşmaya cesaret edemediği kadın.

Karakterler tarihtir de. Romanımızdaki insanların herkes gibi hayat boyu bilinçli ve bilinçsiz deneyimler biriktirdiğini biliyoruz. Bu karakterlerin tek farkı *gerçek* dünyadaki muadillerine kıyasla onların yüreğinden ve aklından geçenleri daha fazla bilmemizin mümkün olması.

> Lorenzo, Holland'a kardeşinin yeni karısından bahsederek onun dört yaşındayken bütün bir öğle sonrasını ileride çocuk tacizinden hüküm giyen bir adamın evinde geçirdiğini söyledi.
>
> "Umarım Bay Milo o gün uslu durmuştur," dedi Lorenzo.

Bu kısa karşılaşma, bu acı dolu itiraf kendi eşiniz ya da kaynınız hakkında öğrenebileceğiniz bir şey değildir. Roman birçok oyuncuyu ve çok yönlü bakış açılarını kullanarak çoğu faninin erişemeyeceği kapsamda geniş bir bilgi ağı yaratır. Romancının anlatıcı sesi başka herhangi bir mecradakinden –sinema dahil– daha fazla şeyi açığa çıkarma yetkisi taşır.

Yazarın denetimindeki anlatı gayrimenkulünün gücü barizdir ama bu güç iyi kurmaca için ayak bağı haline de gelebilir. Bazen oyuncularımıza aslında erişemeyecekleri kadar bilgi ve kavrayış yükleriz. Bazen de gerçeği ifşa etmek yerine oyuncularımızdan birine söyletiriz ya da onun eylemleriyle bu gerçeği sahneleriz. Yük hayvanımızın alüminyum tavasının olması helva kavurmayı bildiği anlamına gelmez. Karakterlerimiz muazzam bir dille kurulmuş bir dünyada yaşıyor olabilir ama çoğu zaman bu dünyada ne olup bittiğinden bihaberdirler.

İşte böyle. Karakter çiçeği burnunda büyük bir boksör gibidir. Eğilip kalkabilir, zikzak çizebilir, iki yumruğunda da nakavt etme gücü olabilir, olağanüstü dayanaklı olabilir ama bütün bunlara karşılık çenesi porselen gibi kırılgan olabilir. Bu yüzden becerilerini akıllıca kullanması gerekir, çünkü sağlam bir sol direkle bütün başarıları tuzla buz olabilir.

Karakter aracılığıyla ifşa romanının en büyük, hiç şüphesiz en vazgeçilmez payandalarından biridir. Kahramanımızın öğrendiği veya öğrenemediği şeyler bizi duygulandırır, çoğu zaman iniş çıkışlarla dolu hayat yolculuğunda onun da bizim de yolumuzu çizer, sevgiden kayba, masumiyetten gerçeğe, intikamın keskin çizgilerinden bağışlamanın aşkınlığına giden yolları gösterir.

Karakter Gelişimi

Kimi yazar arkadaşlarım ana karakterlerin yaşamöykülerinin ayrıntılı taslağını çıkarmaya çok zaman harcıyor. Bu süreçte romanın sahnesindeki hareketlerinin altında yatan güdüleri keşfediyorlarmış. Iago ya da Sister Carrie gibi bir karakter yaratırken etkili ve verimli bir yöntem olabilir bu. Öte yandan benim keşif yöntemim bu değil. Ben hayatta insanlarla nasıl tanışıyorsam karakterlerimle de öyle tanışırım – hakkında umduğum kadar çok şey bilmediğim bir yerde ve durumda, başlangıçta neredeyse daima en önemsiz ayrıntılara dikkat ederek. Sonra *keşif modu*na geçerim.

Karakter gelişimi konusunda yaşamöyküsü yaklaşımından söz ettim, çünkü kimi yazarlar karakterlerin kişisel geçmişine dair bilgiyi kuşandığında kendini daha rahat hisseder. Bu yaklaşımın ne açıdan yararlı ve rahatlatıcı olduğunu anlıyorum. Bir insanın eğitimini, yaşını, cinsel tercihini, aile geçmişini ve hayatına dair bir sürü teferruatı bildiğinde kendi kararların (ve onların kararları) daha net ve muhtemelen daha tutarlı olur.

Öyleyse yazar dostum, karakterin yaşamöyküsünün yararlı olduğunu düşünüyorsan tereddütsüz bu yöntemi kullan. Çünkü roman yaratmak delinin birinin dağın çakıltaşlarıyla dolu yamacından tırmanmasına benzer. Bir tutamaç veya sağlam bir zemin bulabilmek büyük nimettir.

Gelgelelim varış noktasına giden önceden çizilmiş bir yol yoktur. Başkarakterinin hayatını beşikten mezara bilsen bile nihayetinde yarattığın karakterin kendi iradesinin olduğunu, hatları iyi belirlenmiş başka karakterlerle karşılaştığını, bu karakterlerin onu yolunu değiştirmeye zorladığını, böylelikle özenle tasarladığın şablon ve planlarından saptığını göreceksin.

Romanı yazmaya koyulmadan önce ne biliyor olursan ol, metnin kendisinde karakterlerini sürekli yeniden keşfetmek zorunda kalacaksın.

> "Yatmadan önce beraber birer kadeh içelim mi Bay Harmony?" diye sordu Leydi Estridge, açık mavi gözleri damla şeklindeki elmas küpeleriyle benzer tonlardaydı.
>
> "Almayayım hanfendi," dedi kendini Hurston Harmony diye tanıtan adam. "Alkol ve sigara kullanmıyorum, keza hayvan eti de yemiyorum."
>
> Mirasçı genç kadın dudaklarını olabilecek en hafif şekilde oynatarak gülümsedi. Peki, dercesine başını salladıktan sonra adamı avludan kütüphaneye geçirdi, amcası orada bekliyordu.

Bir aşk romanı diyaloğu taklidi olan bu örneği vermekteki amacım hikâyenin merkezinde olup olmayacağı henüz belli olmayan iki karakteri keşfetmeye başlamak. Kadın üst sınıftan olabilir, Hurston'ın dili de avam kökleri olduğuna işaret ediyor. Kadının takısının rengine kadar ayrıntılara dikkat etmesi muhtemelen estetik beğenisini yansıtıyor. Gülüşü esrarengiz, amcasının bulunduğu yer de. Adamın adı Harmony olmayabilir, dolayısıyla vejetaryen ve yeşilaycı olması da uydurma olabilir.

Böylelikle üç karakteri açığa çıkarma niyetiyle başlamış olduk. Muhtemelen bir sahtekârlık beklentisi içindeyiz. Bu tür romanlara aşinaysak dört gözle aşna fişne bekliyor olabiliriz. Peki hikâye hangi tarihte geçiyor? On dokuzuncu yüzyıl sonu veya biraz daha öncesi olabilir. Kendini Hurston diye tanıtan adam siyah, Leydi Estridge de Kürtse takvimi bir yüzyıl öteye kaydırsak iyi olabilir.

Amacım hikâyeye dalış yapıp karakterleri hedeflerine ulaşmaya çalışırken keşfetmek, bu süreçte de kendilerini ya umduklarından başka bir yerde bulacaklar ya da hedeflerinin onları nereye götürdüğüne dair bir fikirleri olmadığını anlayacaklar. Belki Bay Harmony ile Leydi Estridge beklemedikleri bir şekilde aşkı bulacak – her ne kadar ellerinden kaçıracak gibi olsalar da.

Leydi Estridge ile Bay Harmony örneğinde hikâye olay örgüsünün uzantısı. Sofistike hazırcevaplıkta idmanlı karakterler sunuyor, ayrıca bu karakterlerin çok ciddi gizli planları var ama bunların tahmin ettiğimiz gibi olup olmadığını henüz bilmiyoruz.

Bir yerlerde Mavi ve Sarı orduların savaştığını öğreniyoruz. Leydi Estridge'in teyzesinin kocası Dieter Sandler Maviler'e "battaniye ve donmuş gıda gibi malzemeler" temin ediyor ve, "Silahla asla işim olmaz beyefendi, asla; dinime aykırı," diyor.

Sarı Ordu kumandanının adının da Harmonious olduğunu belirtiyor.

"Onunla bir ilişkiniz var mı," diye sordu Hurston'a.

"Neyse ki yok," dedi Hurston. "Biliyorsunuzdur, Sarılar'ın yönetici zümresiyle ilişkisi olan herkes tutuklandı, işkence gördü, rehin alındı."

"Renge işkence etmek," diye araya girdi Ariel Estridge. "Bazen düşünüyorum da, Tanrı kadınları yarattı, Morningstar da erkekleri."

"Tövbe tövbe!" diye çıkıştı Dieter.

Bu konuşmada Sarılar ile Maviler arasındaki çatışma cinsiyetler arası savaşla kıyaslanıyor. Maksat çağın temel özelliklerini ve karakterlerimizin yüzleşmesi gereken meseleleri açığa çıkarmak. Şakalaşma, tehlike ve cinsel gerilim bizi karakter gelişimine hazırlasa da başlı başına bu hedefe ulaşmamıza yetmiyor.

Karakter gelişimi için değişim ve dönüşüm olması gerekir – hem süreç hem de sonuç görülmelidir.

Diyelim ki Dieter, Ariel Estridge otuz beş yaşına ulaşana kadar onun mirasının vasisi tayin edilmiş olsun. Aynı zamanda da Maviler'in istihbarat servisinde yüksek rütbeli bir memur olsun. Tabansız olduğu bilinen Hurston gizlice Ariel'a, Dieter'in onu hakkından alıkoymasını sağlayan belgeyi kendisinin de gördüğünü söylesin. Sözleşmenin feshi için Ariel'ın tek yapması gereken evlenmektir. Ariel,

Hurston'a (gerçek adı Jack Morgul'dır) yüzde üç pay vermeyi kabul ederse Hurston onunla evlenecek, vasilik anlaşmasında şart koşulan üç yıllık süre dolduktan sonra da ondan boşanacaktır.

Ariel, Hurston'dan nefret ediyor, Dieter'e saygı duyuyordur ama daha çok maddi bağımsızlık özlemi çekiyordur.

Karakter İlişkileri

Ariel aynı zamanda William Atherton III adlı bir adama abayı yakmıştır. Bill sevilesi bir tiptir. At biner, savaşa gider, "ölümle yüzleşmekten korkmayan gerçek bir erkektir".

Bill, Hurston'dan (Jack) nefret eder. Ariel ve Dieter de. Ama Ariel, Jack'in evlilik teklifini kabul eder, çünkü Jack yüzde üçlük payı dışında ona ilgi duymaz. Ariel, Bill'den hoşlanıyordur ama şimdilik öyle bir aile hayatı istemiyordur.

Yalnız bir sıkıntı vardır: Jack, Ariel'la kimlikteki adıyla evlenmelidir. Evlenirler, düğün gecesi ayrı yataklarda uyurlar. Ariel, Jack'e saygı duymuyordur ama tuhaftır, Jack nazik ve cömerttir, kendi kendini çekip çevirmeyi bilir – Ariel'ın çok takdir ettiği bir özelliktir bu. Jack yüzde üçlük alacağı dışında bir talepte bulunmaz, üstelik Ariel hasta olup yatağa düştüğünde altı gün yanı başında bekler, alkollü bezle kompres yaparak ateşini düşürür.

Ariel, Jack'in onu para için hayatta tuttuğunu düşünür. Belki haklıdır.

Ariel inlerken Dieter tüm gücünü Jack'in kökenlerine dair ayrıntıları keşfetmeye vakfeder. Vasiliği sona erdiğinde Dieter büyük bir gelir kaybına uğrayacaktır. Ariel'dan bir şeyler araklamaz, bankerlere yaranmak için kendi yatırım gücünü kullanır.

Ariel iyileşirken Jack'in ikinci bir kuzeni olduğunu öğrenir, onun da Sarılar'a mensup bir savaş kahramanıyla münasebeti vardır, bu kişi yüksek rütbeli olmasa da muharebede hayatını ortaya koyacak kadar yiğittir. Dieter Sandler onu sorguya çekmekle görevlendirilir; Bill Atherton, Ariel'a kur yapmaya başlar. Bill, Ariel'la arkadaşlık etmeyi kesmiştir, çünkü Ariel maddi çıkarını gözeterek Jack'le evlenmeye karar vermiştir. Artık Ariel'a sevgiden değil gururdan kur yapıyordur.

Bunlar karakter gelişiminin ilk adımları. Ana rollerin özelliklerini netleştirdik. Niyetlerini, inançlarını ve birbirleriyle olan ilişkilerini yerli yerine oturttuk. Şu âna kadar zerre değişmediler ama hiç değişmeyecekleri anlamına gelmiyor bu. Jack'in tutuklanıp sorgulanmasıyla karakterlerimize sıkıştıkları kısırdöngülerden çıkış imkânı tanırız, ki çoğumuzun hayatı ilk nefesten son nefese dek kısırdöngüler içinde geçer.

Jack kuşkusuz korkak biridir. Çakalın tekidir aynı zamanda. Kodesteki ilk gününde hakkındaki suçlamalar kaldırılırsa evliliğinin feshedilmesini isteyeceğini söyler Dieter'e. Bu da milliyetçi savaş çığırtkanının kendi niyetlerini sorgulamasına yol açar. Jack'in arsız teklifi apaçık ortadadır. Dieter, Jack'e casus olduğunu itiraf etmesini yoksa onu darağacına yollayacağını söyler. Dieter karısıyla konuşurken Jack Morgul gibi bir adamın bu tehditten korkup casus olduğunu itiraf edeceğini söyler.

Ne var ki Dieter yanılıyordur. Bu karakterle etkileşiminde Jack'in korkaklığı itirafta bulunmasını sağlamayacaktır, çünkü itiraf bu durumda idam cezası anlamına gelmektedir. Jack korkunç işkencelere maruz kalsa da kırık dökük kanlı dişlerini sıkarak suçlu olduğunu itiraf etmez. Korkaktır ama cesareti de vardır.

Bu arada kuyruğu dik tutan Ariel kocasını terk etmeyeceğini söyler Bill'e, çünkü Bill savaşı nasıl yazgısı olarak görüyorsa kendisi de evliliği kutsal bir kurum olarak görüyordur.

> "Onu sevip sevmemem, evlilik feshinin mümkün olup olmaması önemli değil. Tanrı'nın ve ülkemin huzurunda yemin ettim, yeminimi bozmayacağım. Ona karşı suçlamalar çok saçma. Şu anda gördüğü muameleyi hak etmiyor."

Süvari Bill, savaş kahramanı Bill kaybetmeye alışık değildir. Çiftlikte atları, savaşta adamları mahveden biridir. Bu kadının inadına yenilmeyi kendine yediremez. Kadını acımasızca dövse de kadın boyun eğmez.

Bu arada Dieter, Jack'in itirafta bulunmamakta direteceğini, onu itirafa zorlayarak hata yaptığını anlar. Kurbanın çığlıkları içler acısıdır, onu aşağılamaktansa kahramanlaştırır. Dieter işkenceciye durmasını emreder, şuurunu yitirmiş Jack'in yanında kalır bir süre.

Suçluluk duygusu, öfke ve ilk defa yenilgi hissiyle malul olan Bill yapılacak tek bir şey kaldığına karar verir: acının kaynağını, Jack'i ortadan kaldırmak. Hapishaneye gider, içeri girmekte sıkıntı yaşamaz çünkü daha önce defalarca oraya girip çıkmıştır. Elindeki silahı kullanmaya niyetlidir...

Hikâye elbette burada sona ermiyor. Bill, Jack'i öldürecek mi? Dieter, Bill'i öldürecek mi? Belki de bu karanlık ve rutubetli mekânda hepsi ölecek. Belki de Jack hapishaneden kaçmaya çalışıp bunu başaracak. Peki ya Ariel'a ne olacak?

Bu hikâyenin sonunda Jack'in özgürlüğüne kavuşup Ariel'ı hastanede ziyaret etmesini istiyorum. Ariel artık eski güzelliğini kaybetmiş, Jack de hadım edilmiş. Ariel, Jack'e evliliği feshetmeyi isteyip istemediğini sorar, o da tam tersine yeminlerini tazelemek istediğini söyler.

Karakterlere odaklandığım bu bölümlerdeki amacım örneklerle karakterin ne yapabileceğini, karakterlerdeki değişimi nasıl keşfedebileceğimizi göstermekti. Burada kurguladığım hikâye romandan ziyade tiyatro oyununa benzese de ana karakterlerin duygusal gelişimi söz konusu olduğunda ikisi arasında pek de fark yok. Ayrıca karakterlerin değişiminin ve dönüşümünün birbiriyle olan ilişkilerini göstermeye çalıştım. Kanımca kişi doğadaki olaylara karşı ya da onlarla uyum içinde eylemde bulunduğunda dönüşür. Yaralı bir atmaca ya da kudurmuş bir ayı bir şeylerin yüzeye çıkmasını sağlayabilir. Bu durumlarda hayvan ilişkinin öteki tarafı haline gelir. Karakter çölde ya da Mars'ta tek başına biri de olabilir. Fakat burada bile bence yalıtılmış yalnız karakterin iç deneyiminden farklı kişilikler doğacaktır.

İster romana başlamadan önce karakterlerin yaşamöykülerini çıkar, ister doğrudan hikâyeye dalıp gelişim sürecinde karakterlerin özelliklerini keşfetmeye karar ver, her iki durumda da karakterlerinin büyüyüp küçülmesi, ama iyi ama kötü yönde gelişmesi gerekir. Kurmacanın dünyası daima akış halindedir, sakinleri karaya vurmuş fırtınazedeler gibi hikâyenin amansız dalgaları arasında sürekli birbirlerine sığınmaya çalışır.

Karakter Çöplüğündeki Ivır Zıvırlar

Kime inanıyorsun?

Her hikâyede bir çeşit gizem vardır. Okur başlangıçta güzel veya kafa karıştırıcı bir şeyin çekimine kapılır, bunun ne olduğunu açıklamak güçtür, tuhaf ya da abes bir şeydir bu. Belli bir ifade biçimi veya tanıdık gelen bir gerçek ilgisini çekmiş olabilir. Bazen ilk cümle öyle cesurca yazılmıştır ki okur yazının gözü pek vaadinin nasıl yerine getirileceğini merak eder. Fakat bir süre sonra okur yalnızca iki şeyi merak eder: 1. Sonra ne olacak? 2. Bütün bunlar sonunda nasıl bağlanacak?

Kadının biri çölden çıkıp sendeleyerek küçük bir kasabaya varır, kasabadakiler onu başta hatırlamaz. Kimdir bu kadın? Hangi rüzgâr onu buraya atmıştır? Ne olmuştur da böyle bir yolculuğa koyulmuştur? Kaza mı geçirmiştir? Kasabanın ucunda, hurdalığa yakın yaşayan çılgın ihtiyara neden tanıdık geliyordur? Lucasville'in yirmi otuz yıl önce harabeye dönmüş bölgelerini nasıl oluyor da biliyordur?

Kadın bu sorulara doğrudan yanıt verebilir. Ya da belki de çölde hafızasını kaybetmiştir. Diyelim ki iki gün önce tekinsiz, ıssız ve engebeli bir yolda arabasının bozulduğunu söylesin şerife. Birkaç sayfa sonra da bakkaldaki tezgâhtara, erkek arkadaşı Brick Arnold'ın bir tartışma sonunda onu arabadan attığını söylesin – ama erkek arkadaşını suçlamıyordur, ne de olsa ona erkek kardeşiyle yattığını itiraf etmiştir. Sonra kasabanın kurucusu Robert Lucas'ın adının verildiği küçük bir parkta elinde oyuncak silah olan küçük bir oğlan bankta yanına otursun.

> "Gerçek adı değildi bu," dedim oğlana.
>
> "Neydi adı," diye sordu. Ancak çocuklarda görülen bir hayretle bakıyordu.
>
> Elimdeki portakaldan ona bir dilim verip anlattım. "Gerçek adı Bo Martin'di, Saint Louis'in doğusunda Jojo diye bir adamı öldürdüğü için gelmişti buraya."
>
> "Senin adın ne," diye sordu oğlan, adı Soso'ydu.
>
> "Sandra," dedim, "Sandra Filomene."

Yalan söylediğini biliyoruz, çünkü her karşılaştığı kişiye başka bir hikâye anlatıyor. *Yalancı anlatıcı* olarak adlandırılabilir, çünkü okur dahil kimsenin onun söylediklerine güvenmesi mümkün değil. Ortada okurun tutunabileceği tek bir gerçek bile olmadığından okur çok geçmeden hikâyeden sıkılabilir.

Sonra Brick Arnold elinde bir valizle kasabaya varıyor,

valizin Filomene adında bir kadına ait olduğunu söylüyor. Bakkal Brick'in oralarda olduğuna dair kadını uyarıyor. Şerif, Bay Arnold diye birinin kadının eşyasını kendisine bıraktığını söylüyor. Dul bir kadın olan Bayan Lottie, Sandra'ya tuhafiye dükkânının ardiyesine saklanmasını öneriyor.

"Pompalı tüfeğim var Bayan Filomene, hiçbir hıyar beni atlatamaz."

Görüldüğü üzere, hikâyenin gizemi kendini Sandra Filomene diye tanıtan kadının ördüğü martavallar ağına bağlı. Bu yalanların ardında gizli gerçekleri yavaş yavaş anlamaya başladığımızda Lucasville'in çürümüşlüğünü ve gerçek tarihini de öğreneceğiz.

Ya da Sandra'ya odaklı üçüncü tekil şahıs anlatıyı kullanarak –okurun henüz bir şeyleri doğrudan anlamasına imkân vermeden– onu çölden sürünerek çıkarken yakalayabiliriz. Adının yine Sandra Filomene olduğunu, Saint Louis'in doğusundan geldiğini, arkadaşının düğününe, Phoenix'e gittiğini söylüyor. Araba yoldan çıkıp bozulmuş, bu yüzden eşyalarını orada bırakıp yardım bulma ümidiyle etrafı yoklamaya koyulmuş. Sonra Brick Arnold geliyor, Sandra'yı kasabaya varmadan yirmi beş kilometre önce bir yerde arabadan attığı için çılgına dönmüş. Bu çelişen bilgi Sandra'nın hikâyesine gölge düşürüyor.

Öte yandan Brick'ten de kuşkulanabiliriz. Belki de yalan söyleyen o. Belki de Sandra'yı soymaya, öldürmeye veya ona tecavüz etmeye çalıştı – belki üçü birden. Belki de Sandra'nın saldırıyı ihbar etmekten onu alıkoyan bir sırrı var.

Hikâyeye bu farklı perspektiflerden yaklaştığımızda yazar bunun çok çetrefil olduğunu düşünüp basitçe hikâyeyi anlatan bir anlatıcı ses yaratmakta karar kılıyor.

Ne var ki düz anlatı yolundaki birkaç haftadan sonra, yazar tam olarak güvenilir olmayan anlatıcı yaklaşımıyla pek yol kat edemediğini fark ediyor. Anlatıyı farklı sebeplerle güvenilir olmayan iki tali karaktere bölmeye karar veriyor.

İlkin çılgın ihtiyara yöneliyor. Kasaba ahalisi ona Mad Mackie diyor. Hurdalığa yakın bir çadırda yaşıyor, evcil hayvanı çakal, hep sarhoş gibi ama onu içerken ya da alkol satın alırken gören olmamış hiç.

Mack, Sandra'ya Nelda diye hitap ediyor, ona Lucasville'in prensesi olduğu zamanlardan, doğumundan çok öncelere giden hikâyeler anlatıyor. Sandra, Mack'e portakal getiriyor, kendisi hakkında anlattığı hikâyeleri dikkatle dinliyor. Mack kasabadakileri uyarıyor, Sandra'nın onların kirli çamaşırlarını ortaya çıkarmaya ve Lucasville'in en eski binası olan belediye sarayını yakıp kül etmeye geldiğini söylüyor.

Sonra yazar Sandra'ya abayı yakmış oğlana yöneliyor, amcası ona Soso, annesi Jesse diyor. Soso, Sandra'ya âşık. Sandra ona adının Nelly olduğunu, kayıp babasını tanıdığını, babasının onu sevdiğini söylüyor. Onu teselli etmek için böyle konuştuğunu konuşma biçiminden anlayamıyoruz, belki de oğlan hakkında sandığımızdan fazlasını biliyordur.

Soso sürekli Nelly'den söz ediyor. Nelly ona banyo yaptırmış, onu aya uçurmuş. Nelly'nin dediğine göre, Mad

Mackie'nin çakalı dişiymiş, geceleri Mack çakala dönüşüp onun çakal kocası oluyormuş. Ayrıca Robert Lucas'ın adının aslında Bo Martin olduğunu, Louie diye bir yerde bir adamı öldürüp Lucasville'i kurduğunu söylüyor...

Kurmacada böyle bakış açıları kullanmayabilir, sırlarını başka şekillerde saklayabilirsin. Ama bence hikâyeyi negatif alanlardan anlatmaya çalışmak daha iyi, çünkü sen daha hakikati ifşa etmeden okurun gerçeği merak etmesini sağlar, böylelikle okur, anlatıcının sağ salim yoluna devam etmesi için yalanlar söylendiğini anlar.

Bize ne denirse densin modern dünyada hakikat nadide bir metadır. İnsanlar hep yalan söyler: özgeçmişlerinde, ilk buluşmalarında, kıyafetleriyle, çocuklar onlara cevabını bilmiyormuş gibi davranmak istedikleri sorular sorduğunda. Bizden yardım isteyen yabancılara, dün gece ne yaptığımızı soran ailemize yalan söyleriz.

"Sorun sende değil bende" ya da "Valla başka biri yok". Heteroseksüel misin gay misin, kadın mısın erkek misin, siyah mısın beyaz mısın?

Seni seviyorum, der bir erkek bir kadına. Kadın da, Seni seviyorum, diye karşılık verir. Adam kendince, kadın da kendince gerçeği söylüyordur. Ama birinin işittiğiyle öbürünün kastettiği aynı olmayabilir. Ki farklı anlamları vardır muhtemelen. Çoğu zaman beni seviyor olman yeterlidir. Fakat, bazen, hatta inanmak istediğimizden daha sık, benim söylediğim şey ile senin anladığın şey arasındaki fark bizi tehlikeli bölgelere götürebilir. Kurmaca için iyi ama oradaki karakterler için pek de iyi değil.

Sözcük Yağmurunda Karakteri İşlemek

Yalnızca sözcükleri kullanarak bir insan yaşamını –o yaşama ait tutkuları, inançları, yaraları ve başarıları– anlatmak çetin bir iştir. Bunun romanın henüz ilk adımı olduğunu anladığında zorluk daha da artar. Şimdi baştan aşağı yarattığın karakteri alıp yolculuğunu ve hikâyede karşılaştığı engellerle geçirdiği başkalaşımları ayrıntılandırman gerekir. Okurun –veya yazarın– kullanabileceği fotoğraflar, ses kayıtları, müzikler, sahne araçları yoktur. Hem okurun hem de yazarın elinde sadece dil ve üç beş noktalama işareti vardır.

Dil [*language*]. Bu sözcük kışın kilerde ahşap sandıkta tutulan kök sebze adı gibi geliyor kulağa. Toprak bulaşmış şalgam, havuç, karakavza ya da pırasa gibi bir şey. İnsanı hayatta tutmasına tutuyor ama bir bahar gününün ışıltısından ya da bir kasırganın vakarından yoksun. Bu sınırlamalara rağmen dil daima Yeni Dünya'dır ve öyle kalacaktır. Tarihimizi ve insan olarak potansiyelimizi taşır. Dil bizi ya mahkûm eder ya da özgürleştirir. Sözcüklerimizin artalanları ve bilinçaltı havzaları bizi bildiğimiz her şeyle içerir ve ifşa eder.

Bizim işimiz eşsiz, iyi tanımlanmış ama değişebilen karakterlerle somut bir dünya yaratmaktır. Elimizdeki tek araçlar soyut sözcükler ve okurların çeşitli düzeylerde sözcükleri anlama kabiliyetleridir. Önemli bir konu. Kitabın devamında farklı açılardan buna geri döneceğim ama sonunda konunun tüketilemez olduğunu anlayacaksınız.

Bu noktada tek dert etmemiz gereken, yarattığımız karakterleri tasvir ve ifşa eden sözcükler. Kurmaca yazarken sözcüklerin kullanımını incelemek için iki unsura dikkat etmek şart: 1. Anlatıcı ses. 2. Diyalog ve kuzenleri.

Anlatıcı Ses

Eldeki seçenekler şunlar:

1. Birinci tekil şahıs anlatıcı sesi, "ben"i kullanabilirsin. Bu anlatım şekli genelde tek bir karakterin bakış açısındandır, o kişinin eğilimleri, önyargıları, duyumları, deneyimleri, eğitimi, görgüsü, ihtiyaçları, (belki) yaşı ve duygusal tepkilerinin genişliği ve derinliğiyle sınırlıdır.
2. İkinci tekil şahıs anlatısı seçeneğinde okur kurmacada bir faildir. Bu teknik başlıca "sen" ile ilişkili zamirlerle işler.

> Odaya giriyorsun. Ayyaşın keskin ağız kokusu geliyor burnuna. Keşke gelmeseydim diyorsun.

Şahsen ben kurmacada ikinci tekil şahsı kullanışlı bulmuyorum, bilgiyi kitapta tutmanın daha iyi yolları var. İkinci tekil şahıs şarkılara ve şiirlere, şu anda okuduğun inceleme gibi yazmayla ilgili kılavuz kitaplara daha uygun.

3. Sırada en çok kullanılan teknik var, üçüncü tekil şahıs. Ben bu anlatıcıyı bir ya da daha fazla karakterin omuzuna tünemiş bir ses olarak düşünüyorum.

> Joe, Morley'nin geldiğini gördü. Yolunu değiştirmek üzereydi ki göz göze geldiler. Dişlerini gıcırdattı, zorlama bir gülümseme takındı ve, "Hey More, n'aber," dedi.

Bu anlatıcının Joe'nun duygu ve düşüncelerine tam erişimi yok. Ama en azından karakterle fiziksel bir duygudaşlığı var, bu da Joe'nun duygusal tepkilerinin içyüzünü sezdirmeye yeterli. Bütün roman Joe'nun dünyasından üçüncü tekil şahıs yorumuyla anlatılabilir. Ya da Joe ile Morley arasındaki konuşma sona erdiğinde üçüncü tekil şahıs anlatıcı Morley'nin omzuna zıplayıp bizi hikâyenin sonraki aşamasına taşıyabilir.

Omuzdan omuza sıçrama imkânı üçüncü şahıs anlatıyı son derece esnek kılıyor. Tek bir bakış açısıyla sınırlı değilsin, dünyayı anlamak için olabildiğince çok sayıda karakterin deneyiminden yararlanabilirsin.

Üçüncü şahıs anlatıcıda birinci şahıs anlatıcının derinliği olmayabilir ama bu sınırlamalar avantaj haline de gelebilir, yazara gündelik hayatta başkalarını anladığımız şekilde anlama imkânı verebilir.

4. Son anlatı kategorisi evrensel (ya da her şeyi bilen) anlatıcıdır, başka bir deyişle tanrısal anlatıcı. Burada sözünü ettiğim, Yunan tanrıları gibi çok tanrılı bir dinin tanrısı değil. Yahudi-Hıristiyan geleneğindeki Tek Tanrı. Kainattaki her şeyi bilir o. Bir masada oturup birbirine yalan söyle-

yen üç insandan bahsettikten sonra bir sineğin sırtına atlayıp çürüyen cesetlerin olduğu pastoral bir araziye geçebilir. Kudretli bir sestir, bu yüzden her sözcükten, nüanstan ve iddiadan mutlak olarak emin olman gerekir. Evrensel anlatıcının sesinde belkilere veya *ihtimallere* yer yoktur. Hakkında konuştuğu insanlar kendinden emin olmayabilir ama onun kendinden emin olmaması mümkün değildir. Evrensel anlatıcı sesini kullanmak büyük bir bardak dolusu yağlı krema içmeye benzer – çoğu insanın damak tadına fazla gelir.

Pek çok seçenek var. Bunlara kafa yorduğunda aslında bir ölçüde anlatı biçimlerini harmanlamaya karar verebilirsin. Belki romanın girişinde evrensel anlatıcıyı kullanırsın, sonra geri kalanında birinci şahıs anlatıcıya geçersin. Belki üçüncü şahıs anlatıcın derinlerde bir yerde birinci şahıs anlatıcıdır, sadece bir karakteri iyi anlıyordur, öbürlerine daha az nüfuz edebiliyordur.

Seçenek çok ama hepsi de dönüp dolaşıp önemli bir soruya bağlanıyor: Anlattığın hikâyeye en uygun düşen bakış açısı hangisi? Bu karar büyük ölçüde sağduyuya dayanır. Sözgelimi hikâye ana karakterin hakkındaysa ve o karakter ilginç, sürükleyici ve ifadesi kuvvetliyse, o zaman doğrudan birinci şahısta karar kılabilirsin.

Şayet hikâyenin kapsamına pek çok mekân, pek çok sınıftan ve uzmanlık alanından insan giriyorsa, o zaman üçüncü şahıs anlatı tercih edilebilir. Ama başka nedenlerle de üçüncü şahsı seçebilirsin. Örneğin iyi konuşan ama kendi üzerine pek de derin düşünmeyen öfkeli bir ana karakterin olsun. Her ânı bu adamla geçirmeyi planlıyorsun ama onun okurla konuşması bir şeyleri ifşa etmeni sağlamıyor.

Diyelim ki elinde birkaç sürükleyici, zeki ve iyi konuşan karakter var. Bu durumda romanı kısımlara ya da bölümlere ayırıp her birini birinci şahıstan karakterlerin ağzından anlatabilirsin. Demek istediğim, hikâyeyi anlatan bakış açısına veya açılarına karar vermen gerek. Bu kararı yazmaya başlamadan önce de alabilirsin, yazmaya başladıktan sonra hikâyeye aşina hale geldiğinde de.

Dış bir beyan veya imge bilgi vermek için araya girdiğinde kurmacada anlatıcı ses geçici olarak askıya alınır. Bu teknik şöyle bir yol tabelası bilgisi olabilir: BU YOL SADECE BEAVERTON'A ÇIKAR. Ya da şöyle bir anons olabilir: "On üç yaşından küçük tüm kız çocuklar acilen mavi kulübeye gelsin." Bir defasında bir dükkânda göz okuyucunun karşısına geçtiğimde bilindik dı-dıt sesi yerine "Hey denizci" cümlesi çıkmıştı cihazdan.

Hikâyeni anlattığın anlatıcı ses(ler)e uymayan her türden ses, işaret ve imge mümkündür. Bir karakterin okuduğu kitap ya da ona okunan kitap. Birisinin omzunun üstünden göz attığı gazete. Bu türden tekniklerin tasarruflu kullanımı hikâyenin anlatımına önemli ölçüde katkıda bulunabilir, okur da bu sayede o dünyanın deneyimine başka şekillerde dahil olur.

Anlatıcının sınırlı olduğu bakış açısını aşan başka bir dış ses de diyalogdur. Konuşan karakterlerin anlatıcının bağlı kalmak zorunda olduğu kuralları bozma imkânı vardır. Diyelim ki zamanını yoksullara yardım ederek geçiren görgülü ve nazik bir anlatıcın var. Yiyecek, giyecek ve çek yardımı yapıyor, evsiz çocuklara oyuncak dağıtıyor. Bu adam bir gün fakir bir kadına rastlıyor, ona gülümsüyor.

"Kime bakıyorsun lan orospu çocuğu?" diyor kadın.

Sözleri hikâyenin atmosferinde harikulade bir aralık yaratıyor. Kibar yardımseverimizin tabiatının yeni bir yönünü ortaya çıkarmak için kullanılabilir bu. O anda anlarız ki bizimki aslında fakirlerden nefret ediyor, onları hor görüyor. Bu kadın, adamın yumuşak ellerini ve kusursuz dişlerini sallamıyor.

"Şu havalara bak hele, sanki beş yıldır hiç sıçmamış," diyor kadın.

Hikâyenin atmosferini, dilini ve sesini bölmenin bir yolu bu. Tabii anlattığımız dünyanın tasarımıyla diyalog sayesinde daha pek çok şekilde oynayabiliriz. Birinci şahıs anlatıcıya bilgisi dahilinde olmayan bir deneyimi aktarabiliriz. Birisi çıkıp da kitabın baskın sesi hakkında yalan söyleyebilir, onun söylediklerini yalanlayabilir ya da başka şekillerde onun hükmünü bozmaya çalışabilir.

Bu araçlar farklı bakış açılarını hikâyeye dahil etmenin yanı sıra tüm sözcükler, tasvirler ve düşünceler monotonlaşmaya başladığında tekdüzeliği kırabilir.

Her sözcük önemlidir. Nitekim her sözcük karakterlerine, yaşadıkları dünyaya ve bu dünyanın bir yandan değişirken onları nasıl dönüştürdüğüne dair bir şeyler söyler.

Fiziksel Tasvir

Ayrıntılara Dair Bir Not

Her sözcük önemlidir. Bu da demek oluyor ki hikâyeyi anlatırken doğru sözcükleri kullanman gerek, ayrıca bu sözcükleri idareli, hatta eli sıkı kullanmalısın. Her durumun her ânında o kadar çok şey olup biter ki en küçük olayları bile bütünüyle tasvir etmek binlerce sayfa tutabilir.

Sözgelimi bembeyaz bir hastane odasında felçli, yatalak birini düşünün. Oldukça basit geliyor kulağa. Sanki her şeyi anlatmışım gibi bir izlenim uyanıyor. Ama henüz hastanın cinsiyetini, yaşını bilmiyoruz. Ne kadar zamandır orada kalıyor? Kaldığı süre görünüşünden belli oluyor mu? Oda nasıl kokuyor? Bu et yığınını ziyarete gelenler, onu teselli edenler nasıl insanlar? Pencere var mı? Oda sürekli floresan ışıkla mı aydınlatılıyor? Hasta cihazlara bağlı mı yaşıyor, bu cihazlar onu hayatta tutmaya mı yarıyor yoksa kalan ömrünü mü gösteriyor? Refakatçiler, hemşireler, doktorlar komadaki felçli hastayla konuşuyor mu?

Neler söylüyorlar, nasıl notlar alıyorlar ya da neyle meşgul oluyorlar? Belki öpüşüyorlar veya hastayı öpüyorlar. Belki de hastanın ilaçlarını veya kişisel eşyalarını çalıyorlar.

Hastanın adı var mı? Evet, Stillman. Pencerede vızıldayan bir sinek var mı, hastanın yaşam durumunu kaydeden cihazın biplemeleri ve hastanın nefes alıp verme sesiyle kontrpuan oluşturacak şekilde cama çarpıyor mu? Belki sinek değil de eşekarısı. Pencereden görünen manzara nasıl? Günün hangi vakti? Gece gündüz komedi dizileri gösteren bir kanalın açık olduğu metal bir kaideye oturtulmuş bir televizyon var mı? Öyleyse hangi dizi? Okur için hangi reklamları seçtin?

Odanın kapısı açık mı kapalı mı?

Oda bembeyaz. Peki temiz ve derli toplu mu? Değilse gelip çekidüzen veren birileri var mı? Belki pencerenin tepesinde bir örümcek var. Sinek ya da eşekarısı ne zaman yaklaşsa örümcek yiyecek beklentisiyle pusuya yatıyor.

Odanın ölçüleri? Odanın ısısı? Tabii bir de şu soru duruyor: Stillman nasıl oldu da bu duruma düştü? Stillman'ın en azından bilincinin yerine gelme ihtimali ne?

İnsanlar ona dair ne hissediyor? Yaşlıları kurban seçen menfur bir sabıkalı mı? Bir tren kazasından sağ çıkmış büyük bir lider mi? Belki mutsuz bir evliliği olan bir kadını sevmiştir ve kocası ilkece onu vurmak zorunda kalmıştır. Bu son ihtimal bizi hasta odasının dışına sürüklüyor ama şimdilik bu alıştırmayı odanın sınırlarında tutalım.

Odayı ve içindekileri, kalıcı ve geçici sakinlerini tükettik mi? Odada başka bir hasta ya da ziyaretçi sandalyesi olup olmadığına dair bir şey söylemedik, herhangi bir dekoratif nesne ya da yatağın altında tüy yumakları olup olmadığını da. Fakat yeterince ayrıntı verdik sanki – bir şey hariç...

Geriye bir şey kaldı: Stillman'ın içinden geçenler. Hastane çalışanı, görevli doktor, hatta onu ziyarete gelen aile fertleri ve arkadaşlar için bile Stillman'ın zihni erişilebilir değil. Ama biz yazarız. Gidemeyeceğimiz yer yok. Her yere gidemeyiz ama herhangi bir yere gidebiliriz. Kitabımızın kapağındaki başlıkta STILLMAN yazıyorsa, o zaman gerçek dünyanın kurallarını bozup burada sözlerimle kötü muamele ettiğim adamın zihnine girebiliriz. Bu kapı bir kez açıldı mı klavyemize veya kalemimize, defterimize veya ses kaydedicimize girecek ayrıntıların uca bucağı kalmaz.

Kapı açık ama girmeyeceğiz. Stillman'ın düşünceleri, içinden geçenler, bilincine veya bilinçsizliğine dair her şeyi söyleyecek yerimiz veya zamanımız yok. Evet, odayı ve Stillman'ın oradaki durumunu bütünüyle tasvir etmeye yerimiz ve zamanımız yok. Olsa bile alışveriş listesi değil belli bir amacı olan bir hikâye olduğundan bu olanaksız. Roman karakter, zaman, mekân, toplum, siyaset ve daha pek çok şeyle ilgili. Bizim işimiz fazlalıkları kırpıp elzem olanı vurgulamak, bir yandan da sunduğumuz şeylerin hayatta sıradan ve gündelik olanın ara sıra beklenmedik ve olağandışı, şeytani ve ilahi olana çıkabileceğini göstermek.

Her yazarın kendini basit bir ortamda hayal edip bulunduğu çevreyi tüketene kadar tasvir etmeye çalışması iyi bir alıştırmadır. Yeni başlayan çoğu yazar için de öğretici bir alıştırma bence. Örneğin mutfağını tasvir etmeye çalış ya da mesainin ilk saatinde sorumlu olduğun işleri ve onları nasıl hallettiğini. Bunu yaparken çalıştığın mekânı ayrıntılı olarak tasvir etmen gerek. Aklını ve hayal gücünü kullanıp mekânın ve işin her unsurunu incele. Bu işe emek verdiğinde gündelik düzeninin parçası olan en küçük ayrıntıların bile yerini ve rolünü anlayacaksın.

Bu (umarım tevazu veren) deneyimden sonra, şimdi de romanını yazarken karşılaşacağın bir meseleyi ele alalım.

Bilinci yerinde olmayan felçli bir erkek hastanın olduğu bembeyaz ve steril bir hastane odası yerine Manhattan'daki Grand Central Station'a en yoğun olduğu saatte gidelim. Orada iki adam ve bir kadınla karşılaşacağız, her biri kendince sebeplerle orada ve anlattığımız hikâye bağlamında büyüklü küçüklü amaçlar peşindeyken tanışıp etkileşime girecekler. Yazarın elinin altında milyonlarca ayrıntı var. Ne var ki yirmi otuz sayfalık roman bölümünde bunların yalnızca iki yüz üç yüz kadarını –belki de daha azını– kullanacaksın.

Hikâyede özellikle öne çıkan bazı ayrıntılar olacak. Örneğin karakterlerle ilgili olanlar. Kadın, Abigail yolunu kaybetmiş. Yönlendirmeye ihtiyacı var. Adamların biri, Charles münasebetsizce kadının kalçalarına bakarken bir anda göz göze geliyorlar. Kadın ondan yol tarifi istiyor. Adam büyük ölçüde cevap verebilse de en önemli ayrıntıyı bilmiyor. Diğer adam, Filo onları izliyor. Araya girip gerekli bilgiyi veriyor. Sonra üçü birden kadının gideceği yere doğru yola koyuluyor.

Bu insan ve bilgi izdihamına katılmak istiyoruz. Ama oraya doğrudan gidersek hikâye çizgisel ve cansız hale gelecek. Belki bu noktada bir karakterin omzuna atlayarak üçüncü şahıs anlatıcı sesi kullanabiliriz, böylelikle her bir karakteri istasyonun dışından buluştukları âna kadar takip edebiliriz.

Charles henüz işinden olmuş, hiç de tesadüf olmayan şekilde kız arkadaşı ona ilişkilerini bitiren bir mesaj atmış. Sosisli sandviç alıp satıcıyla Yankees ile Mets arasındaki New York beyzbol derbisine dair laflıyor. Abigail JFK Havalimanı'ndan geliyor, New York'a ilk gelişi, şehrin biraz kuzeyindeki küçük bir köye giden trene binmesi gerekiyor. Charles'tan önce birkaç insana yolu soruyor ama ya kaba ya da aldırmaz cevaplar alıyor. Filo istasyona giriyor. Ana salonun ortasında etrafındaki binlerce çehreye göz atıyor. Abigail ve Charles'ı gördüğünde amacını buluyor.

Bu sahneyi oluştururken okurun hengameyi hissetmesini istiyoruz, sesleri ve şenliği, insani arzuları, hayat gailesini; bütün potansiyelleri ve zayıflıklarıyla insanlığı. Her şeyi istiyoruz ama aslında yalnızca oradan buradan ufak tefek parçalara ihtiyacımız var: sendeleyerek kalabalığı güçbela yaran yaşlıca bir kadın, gözleri sürekli annesinde olan yeni yürümeye başlamış bir çocuk, genç ve yaşlı âşıklar, polisler ve telefonda konuşuyor numarası yapan bir yankesici belki.

Bu sahneyi bir iki paragrafta kotarmak zor gelebilir. Bütün bunları hallederken yardıma, daha fazlasına, belki yirmi sayfaya daha ihtiyacın olduğunu düşünebilirsin. Ama karakterlerine sahneyi hazırlamak için yalnızca bir iki sayfan var. Aslında bir yazarın ihtiyacı olan en iyi yardım kaynağı elinin altında: okur.

Hikâyenin dünyasını yaratırken okur gönüllü bir katılımcı olarak orada. Merakla bu üç karakterin gizemini öğrenmek istiyor, hayatın şamatasını ve müziğini, bedenlerin neredeyse koreografi içindeki hareketlerini, bu dünyadaki türlü türlü figüranı. Deneyimlerimizi okur için gözden geçirip damıttığımızda okur da bize yolun geri kalanında eşlik etmek isteyecektir.

Böylece zamanı ve mekânı, kalabalıktaki sayıları belirledikten sonra Naugatuck'a giden bir sonraki tren anonsuyla başlayabiliriz. Telefonda saçmalayan yankesicinin konuşması da anons sesine karışıyor. Abigail saçmalığa kulak misafiri oluyor, dönüp baktığında yankesicinin bir adamın cüzdanını yürüttüğünü görüyor.

Okurun sahnenin geri kalanını kendi deneyimleriyle ya da hayal gücüyle tamamlaması için tek ihtiyacın bu kadarı. Sonuçta gerçek hayatta yalnızca bölük pörçük ayrıntıları hatırlarız, sonsuz olaylar akışından sadece hatırda kalır anları seçeriz. Charles ve Filo birbirinden epey farklı tipler olsa da sonunda bir şekilde bir araya gelebilecek sıradan insanlar.

Okurun güvenini kazandığında, karakterlerin *büyük ölçüde* bilindik şekillerde dünyayı görmeye ve deneyimlemeye devam etmelerini sağladığın sürece okur sana yol boyunca istediğin kadar yardım edecektir. "Büyük ölçüde" diyorum çünkü hikâye yoğunlaştırılmış ve karmaşık bir deneyim olacak. Charles, Filo ve Abigail bize tanıdık gelen bir dünyada olağan insanlar gibi görünse de hikâye geliştikçe Filo'nun aslında Abigail hakkında soruşturma yürüttüğünü öğrenebiliriz. Belki Abigail onun bir arkadaşından ya da müvekkilinden bir şey çalmıştır. Ya da belki de Abigail ve Filo, Charles'a bir kumpas kuruyordur. Belki Filo, Abigail'i seyrediyormuş gibi yaparken aslında gözü Charles'tadır.

Bu karakter etkileşimleri pek çok okurun deneyimlerinin ötesinde olabilir. Ama okura hayal gücü yardımıyla bulunabileceği bir mekân ve deneyim yarattıysan, öteye birkaç adım atmaya hazır olacaktır. Kurmaca evini ayakta tutan ana payandalardan biridir bu: Tanıdık ama ilgi çekici durumlar içinde olan sıradan bir dünya yarattığında hikâyeni derinleştirmek için temeli atmışsın demektir.

Belki Filo'nun müvekkili ona yalan söylemiştir. Belki Abigail, Charles'ı kalçasına bakarken görmüştür. Belki Abigail genetikçi bir biliminsanıdır ve merhum partneriyle yaptığı bir buluşa dair ciddi bir felsefi karar vermesi gerekiyordur. Okurun hayal edemeyeceği yerlere gidebiliriz ama ancak gündelik ve sıradan deneyimlerle bunun yolunu yapmışsak okur bize eşlik edecektir.

Gündelik. Sıradan. Kulağa basit geliyor ama demin gördüğümüz üzere, bunlara ulaşmak için ayrıntılandırmak ve seçim yapmak gerekiyor. Hikâyenin arka planında Grand Central Station'dan geçen on bin insanın hepsini sunmamız mümkün değil. Ama onları görmezden de gelemeyiz. Yaşlı bir kadın, bir polis, bir yankesici. Sosisli satan adamın insan doğasına dair öyle derin bir idraki vardır ki Charles'a, "Bu kadın buna değer mi," diye sorar.

Okurun inanmasını sağlamak için bu kadarı yeterli, bir hece dahi eklemeye gerek yok.

Şunu da unutma: Bir yeri, durumu, kişiyi veya şeyi tasvir ederken yalnızca önemli, çarpıcı, ifşa potansiyeli olan ayrıntılar kullanılmalı. Bu ayrıntılar okurken o kadar da önemli görünmeyebilir ama yarattığın dünyaya okurun inanması için zorunlu yapıtaşlarıdır.

Avını bekleyen timsah gibi duran boş piyano. Martin'in mest olduğunu ifade eden ölgün gözleri. Kocaman elinde shot bardağı gibi duran kutu bira. Küçük, sıradan, şiirsel – fark etmez. Oraya gidip bulunduğumuz yeri, neyle karşı karşıya olduğumuzu göster bize, sonra geri kalanını bırak okur halletsin.

Romanı okurla beraber yaratıyorsun.

Duyguların Tasviri

Ufak Tefek Ayrıntılar

Fiziksel duyumlar tasviri en zor deneyimler olabilir. Örneğin kaşıntı. Çoğu durumda kaşıntı deyip geçmek yeter. Genelde tek yapmamız gereken kaşıntının şiddetinden söz etmektir. Sivrisinek ısırığı mı yoksa uykudan uyandıran ve bir türlü uyutmayan, sinir bozucu ve ıstırap verici ataklar mı?

Peki ya sinirsel olarak dokunma duyusu olmayan birisiyle konuşuyorsan? Bu kişi ömrü hayatında ne kaşıntı ne de gıdıklanma hissetmiştir. Teknik ifadeler kullanmadan bu fiziksel durumu yaşamanın nasıl bir şey olduğunu açıklayabilir misin? Fiziksel anlamıyla *his* sözcüğünü nasıl açıklardın? Belki bu kişi ara ara açlık, baş ağrısı, bitkinlik, ağız kuruluğu hissediyordur. Belki baş ağrısının nabza kadar inip bileklerde hissedilen bir şey olduğunu söyleyebilirsin. Sanki oraya tırnağını batırman ağrıyı patlatıp rahatsızlığı geçirecek. Ama kaşıdığında ağrı ve kaşıntı daha da kötüye gidiyor.

Mükemmel bir tasvir olmasa da iş görür. Üstelik anlattığın hikâyeye metaforik bir giriş işlevi de görebilir. Daha önce hiç kaşınmak zorunda kalmamış bir adamın kaşıntıyı keşfetmesi.

Peki ya yedi yıllık bir kaşıntıdan söz ediyor olsaydık? Ya aşkı açıklamaya çalışıyor olsaydık? Josephine, Joe'yu seviyor veya Josephine, Joe'yu artık sevmiyor deyip geçebilirsiniz. Bu iki beyan doğru olsa da yavan ve derinlikten yoksun. Joe'nun veya Josephine'in ne hissettiğini bilmiyoruz, çünkü aşk değişken bir kaşıntı gibidir, her yürekte başkadır.

Aşkın (veya nefretin, sevdalanmanın, milliyetçiliğin) yoğunluğunu anlatmak istiyorsan karakter şöyle hissediyordu deyip geçmek olmaz. Bir karakterin "Seni seviyorum" demesi için önce o cümlenin etrafını doldurmak lazım. Örneğin:

> Joe, Josephine'i gördüğünde elleri titremeye, nefesi tutulmaya başladı. Sanki unutup ihmal ettiği bir angaryayı hatırlamış gibi irkildi.
>
> Bir gün Joe, Josephine'i Janine Murphy'yle koridorda beklerken gördüğünde karton kahve bardağını elinden düşürdü, Paspas nerde paspas nerde, diye mırıldanarak merdivenlere seğirtti.
>
> "Bay Cordon'ı ne zaman görsem," dedi Josephine, "bir yerlere koşturuyor."
>
> "Bence senden hoşlanıyor," dedi kızıl saçlı genç bir kadın olan Janine, dişlerini göstererek gülümsedi.

"Mümkün değil," diye karşılık verdi Josephine. "Beni tanımıyor bile..." Sonra imalı, muzip bir gülümsemeyle ekledi, "... henüz."

Burada anlatılan aşkın kendisi değil, belki de hiç gerçekleşmeyecek bir şeyin giriş sahnesi. Okurun karakterlerin nasıl hissettiğini ve bu hislerin nasıl tezahür ettiğini anlaması gerek. İniş çıkışları ve öpüşmeyi önceleyen oyunu görmesi gerek.

Belki de Josephine, Joe'yu ağırdan alıyor. Joe da utangaç biri, eskiden böyle bir işin hayalini kurduğunu söylüyor Josephine'e. Josephine ona hayalinin gerçek olmasına dair ne hissettiğini sorduğunda Joe şükran duyduğunu, sabahları uyandığında heyecanla işe fazla erken gitmemek için yavaş hazırlandığını söylüyor.

Joe'nun kendini tanıma arzusu Josephine'i duygulandırıyor. Joe'nun tutkusu onu cezbediyor. Ki aslında Joe ona tutku duyuyor.

"Karşı koyamadığım bir kuvvet gibiydi," diyor Josephine, Janine'e, yolda yürürlerken. "Sanki bir masalda aynaya bakıyor gibiydim, hep arzuladığım, büyünün olduğu bir dünyaya çekiyordu beni."

"Boynuzlu atlar falan yani," diyor Janine, beraber kahkahalara boğuluyorlar.

Sevişmenin ortasında Josephine, Joe'ya sırtındaki çentikli yara izini soruyor. Joe onun güzelliğine ve bu güzelliği onunla paylaşma isteğine öyle kapılıyor ki yirmi yıl önce istemeden parçası olduğu bir soygun yüzünden hapse girdiğini itiraf ediyor. Yara hapishanede çektiği cefanın, orada öğrendiklerinin izi. Patrona bundan söz etmemesini rica ediyor, çünkü bu ortaya çıkarsa işinden olabilir.

Bu bilgi bir şekilde patronun kulağına gidiyor. Joe hemen işten çıkarılıyor, Josephine'i cezbeden büyülü dünya Joe'nun elinden alınıyor. Joe artık Josephine'den nefret ediyor. Ona ağzına geleni söylüyor, e-postalar, mesajlar ve mektuplar gönderiyor, onu hain ve kaltak diye yaftalıyor.

Josephine, Joe'nun sayıp sövmesini alttan alıyor (ama keşke öyle yapmasaydı diye iç geçiriyoruz). Onunla baş başa konuşabileceği bir buluşma ayarlamaya çalışıyor. Joe'nun annesine hürmetini bildiğinden ondan yardım etmesini rica ediyor. Bir araya geldiklerinde durumu açıklıyor: Joe'nun ona gönderdiği bir e-postayı yanıtlarken otomatik olarak patronun sekreterinin alıcılara eklendiğinden bihaber olduğunu söylüyor.

Joe'nun dairesine gidiyorlar, tutkulu bir sevişmenin ardından uyuyakalıyorlar. Yarın her şey yoluna girecek.

Gelgelelim sabah olduğunda Joe, Josephine'in bir mektup bırakıp oradan ayrıldığını fark ediyor. Josephine mektubunda Joe'ya şunları söylüyor: "Seni seviyorum ama kalbinin kırıldığını da görüyorum, gerçekten bir kabahat işlesem, yanlış bir şey yapsam beni affedemeyeceksin."

İşinden olmuş, bir başına kalmış Joe yatağına kurulup barbekü aromalı patates cipsi yiyor. Memleketi Cincinnati'den en yakın arkadaşı Martin'i arıyor, olup bitenleri gayet net bir şekilde anlatıyor.

"Yani," diyor Martin, "demek istediği şeyi anlıyorum. Sırlarınla ilgili durumlarda kendini kaybediyorsun."

"Benim tarafımda olman gerekmiyor mu," diye karşılık veriyor Joe.

"Senin tarafındayım tabii. Fakat senin tarafında bir yanlışlık var."

Hikâye buradan sonra nereye gidiyor? Bilmiyorum. Joe'nun ya da Josephine'in konumunda olmak istemem. Kanımca bu karakterler arasındaki aşkın nasıl bir his olduğunu yeterince ifade etmiş olduk. Onları kurtaramayız, tek yapabileceğimiz onları izlemek.

Bütün bunları şunun için anlattım: Duyguları karakterle, karakterin içinden geçenleri –bilinçli ya da bilinçsiz– ifade etme biçimiyle ilişkilendirerek tasvir etmek gerek. Gerçek hayattaki gibi – ama daha derinlemesine.

Şiirsel Tasvir

Şiir her türlü yazının kalbidir. Bizi ölümün ötesine taşıyan tutkular, ayrıntılar, sözcükler, müzik, dram ve trajedi şiirdedir. Sözlerimizde, şarkılarımızda, aşk hayatımızda şiir olmadığında yaşam inanılmaz yavan, katı ve değersiz hale gelir.

Bu kitapta şiiri yalnızca tasvire katkısı bakımından ele alıyorum. Şairler şeylerin nasıl tasvir edileceğini bilir. Hafifliği ve ağırlığı, zamanı ve kaybı, etrafımızda dolanan hayaletleri anlarlar, bugün *yaşadığımız* dünyada olanlar ile yüzyıllar önce olan benzer şeyleri birbirine bağlarlar.

Şimdi Amerika'nın önde gelen şairlerinden James Wright'ın bir şiirini okuyacağız.

Minnesota, Pine Adası'nda William Duffy'nin Çiftliğindeki Bir Hamakta Yatarken

Başımın üzerinde, görüyorum tunç kelebeği,
Uyuyor kara sandıkta,
Uçuşuyor yaprak gibi, yeşile çalan gölgede.

Issız evin ardındaki ovada,
Peş peşe çıngırak sesleri ineklerin
Uzanıyor şu ikindi vaktinin ucuna.

Sağımda,
Güneşin aydınlattığı alanda, iki çam arasında,
Atların yıllanmış dışkıları
Şavkıyor, altın sarısı, açıkta.

Uzanıyorum, akşam karanlığı çökerken.
Bir atmaca süzülüyor, yuvasını arıyor.
Heba etmişim hayatımı.

Rilke'nin "Apollon'un Arkaik Torsosu" şiirini hatırlatan bu güzel dizeler bir adamın hırgürden uzakta, kırlardaki sakin ve sıradan hayatını sunuyor bize. Bir itiraf bu: daima çevresinde olan derin güzelliği gördüğü bir an. Başka şeylerle uğraşırken yaşamın mucizesini fark etmemiş meğer. Şimdi dinlenirken, bağlantısız gibi görünse de ebediyeti oluşturan anları deneyimliyor. Çıngıraklı inekler, kelebek, süzülen atmaca, hepsi de aynı fani çaba içinde; her biri halince tatlı tatlı hayatta kalma mücadelesi veriyor. Bu mest edici aydınlanma ânında hem güzellik hem de hüzün var.

Hayatında şiir olması lazım, yoksa sözlerinde sıradan hayatın kutsal ezgisi eksik kalır.

Fikirleri Tasvir Etmek

İçinizdeki veya dışınızdaki dünyayı az çok kolaylıkla açıklayabilirsiniz: sıcak, soğuk, acı, büyüklük, şekil, renk. İş açıklamaya gelince dış dünya kendi ayakları üzerinde durur. "Bir seksen boyundaydı" dendiğinde çoğumuz neden bahsedildiğini anlarız. "Kırmızı"yı anlarız ama "sabah sancısı" ifadesi pek çok kişi için farklı anlamlara gelir. Bu türden sözler gerçeklikteki deneyimlerimizle doğruladığımız fikirleri ifade eder. Bazen "yerçekimi" [*gravity*] gibi yarı soyut, fiziksel kavramlar söz konusudur. Bunları anlarız çünkü daha önce yerçekimini deneyimlemiş, eylem halinde görmüşüzdür. Bazen de fiziksel anlam metafor haline gelir, örneğin: "Sözlerinin bir ağırlığı [*gravity*] vardı."

Fakat burada sözünü ettiğim sadece maddi dünyadaki tezahürlerle ilgili itim ve çekim değil. Kurmacanın köklerinden yani fikirlerden söz ediyorum.

Pozitif bilimler çoğu zaman fizikçilerin, mühendislerin, araştırmacıların elinde somutlaşmadan önce kurmacada vücut bulur. Jules Verne'in denizaltı Nautilus mekanik biçimini almadan önce çılgın spekülasyonlardan mülhem bir makineydi. Hayal ederek yaratırız, ki kurmacanın rolü de bir şeyleri varsayımlarla meydana getirmektir.

Beşeri bilimleri kurmacada kullanmak ise daha da zordur. Ekonomik altyapı, bilinçdışı ve evrim teorileri fiziksel dünyada olan bitenleri açıklama konusunda rekabet halindedir, öte yandan bu teorileri kanıtlamaya yönelik makineler ya da fiziksel teknikler geliştirilmemiştir. Bu yüzdendir ki bu bilimlerdeki fikir ve tahminleri kanıtlamak çoğu zaman çok zordur, hatta anlamak daha da zordur.

Diyelim ki kurgusal dünyanda bir gerçeklik yarattın ve orada bir insan çevresindekilerin sıkıntılarını anlamadığında, onlarla empati kuramadığında başına aynı şeyler geliyor. Bu durum romanın dışında herhangi bir yerde geçerli olmak zorunda değil. Fakat bu durumu gerçek kılmak için felsefi anlamını fiziksel, duyumsal deneyim alanına taşıman gerekir; karakteri nihayetinde felakete sürükleyecek körlüğü görmemizi sağlaman gerekir.

Farz edelim Shakespeare'in Iago'su gibi bir ana karakterin var, bir oğlanı takip ediyor, bu oğlanın daha sonra başına bela olma ihtimali var. Güzel oğlan kaygıyla uçurumun kenarında duruyor, manzaranın hem korkunç hem de hayranlık uyandırıcı görünümünün cazibesine kapılmış. Karakterin arkadan koşarak geliyor, çocuğu düşmeye ramak kala yakalamaya çalışıyor. Çocuk son anda adamın eline tutunuyor, gözlerine bakıyor, "İmdat!" diye bağırıyor. Katil, eline asılan çocuğun çaresizliğini hissediyor, neredeyse çocukla birlikte düşecek gibi oluyor. Fakat çocuğun elleri gevşiyor ve çığlıklar içinde uçurumdan aşağı düşüyor, sonunda kayalıklara çarparak paramparça oluyor.

Çocuk ona tutunup gözlerine bakarak yardım dilediği için katil kurbanıyla özdeşlik kuruyor, bunun aynı zamanda kendi sonu olduğunu düşünüyor. Çocuğa yaptığı şey onun da başına gelebilirdi. Anlık bir aydınlanma ama üzerinde durmuyor: Neyse ben ölmedim ya, diyor kendi kendine.

Katile bir içgörü ânı vererek pekâlâ bütün romanı tanımlayabilecek bir fikrin tohumunu atmış olduk. Katille duygudaşlık kurmasak da yaşadığı aydınlanma çocuğun ailesi, oyun arkadaşları, o diyarın kraliçesi için de kullanılabilir, ki bu kraliçe nihayetinde empati yetisi olmayan biri, çünkü asla hiçbir şeye bulaşmıyor, bilgisizliğinin sonuçlarını anlayabileceği bir an yaşama olanağı yok.

İşte sana karakterlerin deneyimleri dahilinde tasvir edilmiş bir fikir. Elle tutulacak denli somut olmasa da bir hayata mal olacak kadar gerçek.

Şöyle Bir Soluklanalım

Kitabın şu âna kadarki bölümlerine geri dönüp baktığımda sanki afet sahnesinden çekilen metafizik dalgaları izliyormuşum hissine kapılıyorum. Geride bir enkaz kalmış da belli bir düzen, plan, mantık ya da manzume olmaksızın öylece duruyor sanki. Bunun nedeni deneyim alanındaki doğal afetten kaynağını alan romanın başlangıçta pek bir anlam ifade etmemesi. Sözgelimi bir hayat düşünün ki, savaşın mahvettiği bir adam hıncından zaten perişan haldeki bir kadını mahvediyor, bütün bunları hemen anlamlandırmaya çalışmak zor.

Edebiyat tsunamisi ardında sadece insan enkazı bırakmaz. Siyasi hareketler, pusudaki örümcekler, cehaletten gelen kötülük, türlü türlü sevgi son sürat birbirine savrulur. Dev çocuklar okyanus kıyısında şıpır şıpır suda oynar. Tökezleyen hikâye tekrar tekrar yeniden başlar, büyük dalgaların yavruları gibi, hikâyemizin özünü içeren ve gizleyen çakıltaşlarını aşındırıp şekillendirerek tekrar tekrar kıyıya ulaşır.

Yazarken keşfettiğimiz romanlarda hikâyenin ifşa yapısını oluşturan tasvirleri ve tanımları düzene sokacak belli bir plan ya da olay örgüsü yoktur. Hikâyenin bir anlamı olabilir ama bilimsel teoriler ya da kanun hükmü gibi değildir. Roman hindistancevizine sığdırılmış koca bir dünyadır. Bir elinle taşırsın, istersen duvara atarsın ya da yatağının başucuna koyarsın, sabah kalktığında uzak geçmişteki bir atanın kıllı kafatası gibi duygudaşlık umuduyla oracıkta bekler seni.

Bu hindistancevizi çekilen okyanustadır, dalgalar arasında bir aşağı bir yukarı inip çıkar. Küçük bir sandalda onu aramaya çıkarız, bulup bulamayacağımızdan emin değilizdir. Başka sandallar da vardır orada – bütün bu keşmekeş, enkaz ve yıkıntıda kaybettiklerini arayan başka başka bahtsız denizciler de.

Roman yazmak, eğer şanslıysan, bu allak bullak, karman çorman yolculuk gibi olacaktır. Roman hacim, erişilebilirlik ve yön tanımaz. Bir elinle tutmasına tutarsın ama aynı zamanda koca bir deryadır. Kültür, tarih, dil, cinsiyet, çözüm umudu, kader –karşıtlarıyla beraber– işin içindedir hep.

Kurmacada ifşa yapısını anlatmaya çalışırken göstermek istediğim şey şu: İlk epifani yani aydınlanma ânı yazarın kendi hesabına bilincinde olmadan söylediği şeyi fark ettiğinde gerçekleşir. Hikâyeyi anlatmaya çalışırken gün yüzüne çıkan gerçekleri gördüğümüzde karakterlere ve söz konusu dünyaya açılan kapıyı da keşfederiz, ki bu dünyanın yapısını karakterler, bilim, savaş ve aslında daha önce hiç anlamadığımız şeyleri bilme arzusu şekillendirir.

Galiba söylediklerim şuraya çıkıyor: Roman kusurlu, bata çıka ilerleyen ama her şeye kahramanca göğüs geren bir insanlık tasavvurudur. Azgın, aç, mutlu, dertli, yaralı, aşağılanmış insanlık tasavvuru. Bir kadın düşünün ki sabah kalkıp onu sevmeyen annesini düşünürken pencereden bakıp çam ağacına konmuş parlak kırmızı kuşun ötüşünü dinliyor. Romanın alfabetik bir düzeni olması gerekmez, önem sırasına göre düzenlenmesi ya da başka türden sistematik bir yapısı veya içeriği olması da şart değildir. Roman hem sıradanlık hem de yücelik içerir. Beklenmedik cevapları vardır, öte yandan içerdiği her sözcük, ifade, karakter ve olay belli bir zorunluluğun veya kaderin parçası olarak algılanır. Roman sanki sonsuza dek devam eden bir evrende ölümlülüğün simgesidir.

Bu nedenlerle, romana yaklaşımım nasılsa şu anda okuduğun denemeye de öyle yaklaştım. Açıklamalar, örnekler, öğütler, irdelemeler iyi hoş tabii. Ama aslında bu metnin biçiminin roman yazma *sürecini* yansıtmasını istedim. Buradaki gibi, tökezleyerek, çırpınarak, hüsrana uğrayarak verdiğin üründe akıl ile kalp bir araya gelir – ruhu, hatta belki de romanı tanımlayan kesişim budur.

Romanın Ses(ler)i

Şimdi şu fikirle devam edelim: Roman, başka şeylerin yanı sıra, canlı, nefes alan bir varlık olarak deneyimlenebilir, bir parça zekâsı ve gerekenden daha az bilgisi olan, az çok tutarlı, ifade gücüne sahip bir varlık olarak görülebilir. Roman yalnızca dilden oluştuğundan, bu canlı nitelik Ses [*Voice*] olarak tanımlanabilir. Yani ses [*sound*] ve titreşim, tavır ve eğitim, duygusal sınırlar, hatta okurun Ses'i tanımasını ve ona belirgin bir kişilik atfetmesini sağlayan karakter kusurları. Söz konusu olan anlatıcı değil, dil aracılığıyla yaratılan karakteristik özellik. Romanla bağ kurmanın yolu bu dilsel kişilikle bağ kurmaktan geçiyor olabilir.

Birinci şahıs anlatısı yazdığında, dillendirdiğin Ses hikâyeyi gelişim sürecinde ya da geçmişte geliştiği veya gelecekte gelişeceği şekilde anlatır. Ben bu anlatıcıyı şimdiki zamana olabildiğince yakın tutmayı tercih ediyorum, bunun nedenleri birazdan belli olacak.

Bu birinci şahıs anlatıcının bir adı olsun. Clem diyelim ona. Bu adam, bir hikâye bağlamında, kızı Elisa'yı bulmak için Minnesota'nın kuzeyinden California'ya gidiyor. Elisa'nın arkadaşı Brook Gentry genç kadınla Venedik Plajı'na gidiyor ve haşat olmuş vaziyette geri dönüyor. Clem'e kızının şaibeli tiplerle düşüp kalktığını ve onların elinden kurtarılması gerektiğini söylüyor.

Clem o akşam Studebaker marka antika arabasına atlayıp o hayaller ve felaketler şehrine doğru tam gaz yola koyuluyor.

> "Gece o kadar güzel ki," diyor Clem, "Elisa'nın çocukluğunu düşündürdü bana. Kampa beraber giderdik çünkü annesi böcek ısırıkları konusunda çok hassastı. Elisa uykuya dalana kadar yıldızlara dair hikâyeler uydururdu..."

Orada, Clem'le birlikteyiz, onunla kuzey ormanlarından geçiyor, sevgi görmüş ve hâlâ da sevilen bir çocuk üzerine düşünüyoruz. Devamında da romanın şimdiki zamanına olabildiğince bağlı kalacağız. Niçin? Çünkü, daha önce dediğimiz gibi, roman karakterin yolculuğudur, karakterin geçireceği duygusal dönüşümün yol haritasıdır. Romandaki eyleme ne kadar yakın durursak bu değişimleri o kadar net ve yoğun hissederiz.

Clem'in antika Studebaker'ının bizi nereye götüreceğini bilmiyoruz. Belki Renee adında genç bir kadını otostop çekerken yoldan alacak. Bu eylem Clem'in karakteriyle uyuşmuyor ama kendi kızı Elisa ve onunla ilgili korkuları geliyor aklına, başka bir babanın kızını yol kenarında bırakıp başına bir şey gelmesine göz yummak istemiyor.

Belki yolda yılgınlığa kapılacak ya da arabası bozulacak. Renee'nin sesi o eşsiz müziği, Ses'i oluşturan koroya katılacak, bu Ses'in şarkısı ve sözleri romanın bilinçdışı Korosu haline gelecek.

Birinci şahıs anlatıda bile pek çok ses vardır. Karakterleri eklemeye başladığında hikâyenin ayini ve kontrpuan ezgisi başlar. Müzikteki gelgitler, armoni ve armonisizlik romandaki karakterin dış hatlarını çizer: Clem konuşur, başkalarının sözlerini dinler, anlatısında beliren göstergeleri, sembolleri ve sesleri deneyimler.

Er geç Elisa bulunacaktır. Clem'in hayalindeki kız çocuğu karşılaştığı genç kadından farklıdır. Elisa yeni haliyle babasını dehşete düşürür; asi, küstah ve tensel zevk düşkünüdür. Clem'i reddeder, çetesindeki arkadaşlarına onu dövdürür. Clem, Renee sayesinde hayatta kalır, zira Renee başka bir hayata adım atmış, dayanışmacı bir topluluğun parçası olmuştur. Clem'i sağaltıp ayağa kalkmasını sağlar ve –birinci şahıs anlatıcınınki kadar güçlü bir Ses'le– ona bu işin peşini bırakıp eve dönmesini, Elisa onu dinlemeye hazır olana kadar beklemesini söyler.

Clem, Renee'nin tavsiyesine uyar. Elisa'dan, yıldızlı gökyüzünden, hatta birini seviyor olmaktan bile nefret eder. Artık tek sevdiği şey Studebaker'ıdır. Bütün bunları eve dönüş yolunda söyler bize.

Ne var ki yolda kalır. Studebaker'ı Ölüm Vadisi'nin yakınlarında bozulur, arabanın motorunu tamir ettirmek için para bulmaya çalışırken Renee'den telefon gelir. Elisa onunla temas kurmuştur. Çetesi onu öyle bir cezalandırmıştır ki artık Clem'e yaptıklarını anlıyordur.

Clem, Renee'nin Elisa'yı ona getirmesini beklerken karakterinde değişimler gerçekleşir. Halüsinasyona yakın bir dil Clem'in zihninin bilinçli kısmının ötesine geçerek romanın Ses'ine ulaşır. Clem kendisine olanları hatırlar ama farklı şekillerde. Elisa'nın ona tuzak kurduğunu ve daha çok zarar vermek istediğini düşünür. Onun şeytani bir çocuk olduğuna ve onu öldürmesi gerektiğine karar verir. Onun şarkısı ve sesi bizi sevgiden ihanete ve cinayete götürür – ki dahası da vardır.

Clem'in karakteri, belki başkaları da dahil Elisa ve Renee'nin karakteriyle beraber, hikâye, olay örgüsü, hatta öbür karakterlerin dertleri (bağlam) gereği dönüşüm geçirir. Clem'in sesi farklı tonlarda çıksa da tutkuları ve sevgisi, yerleşik inançları ve bir o kadar yerleşik hale gelmiş kafa karışıklıkları değişmez. Clem'in sesindeki dürüstlüğü algılarız, bu da bizi gitgide derinlere, romanın kalbine götürür. Oraya ulaştığımızda fısır fısır konuşan başka bir Ses'i duyarız. Bu bir dünya görüşünün ses tonu ve atmosferi, doğuştan gelen dehası ve bilgisizliğidir; o dünya görüşü ki yazdıklarında erişmeye çabaladığın hakikatin temeli olan bir estetik yaratır. Clem'in hikâyesi bıçağın kemiğe dayandığı veya kazmanın altın cevherine değdiği noktadadır. Hikâyeyi anlatırken kendi deneyimiyle sınırlı olduğunu düşünüyor olabilir. Ama aslında hikâye onu aşıyordur.

Üçüncü tekil şahısla ortaya çıkan Ses çok daha karmaşıktır. Romanda tek bir baskın bakış açısı yerine pek çok bakış açısı olabilir. Ki bunların hiçbiri birinci şahsın sürekliliğini taşımaz. Üçüncü şahısta hikâye hikâyenin merkezinde olmayan birisi tarafından gelişim halinde anlatılır. Bu anlatıcı atmosferini soluduğu olaylardan doğrudan etkilenmez, bunlarla derin bir bağlantısı yoktur. Üçüncü şahıs anlatıcının *nesnel* bir ses olduğu söylenir. Bu sınırlama arzusunu anlayabiliyorum. Üçüncü şahıs anlatıcıya görüş belirtme imkânı tanıdığınızda duygularını sergilemesi o sesi bir ölçüde güvenilmez kılar.

Üçüncü şahıs anlatıcıyı görüşsüz tutma çabasını anlıyorum, çünkü omuzdan omuza sıçradığımızda yorumların dürüstlüğüne itimat ederiz.

Anlıyorum ama aynı zamanda, kurallar ne olursa olsun, bir şey yazan birisinin kaçınılmaz olarak görüşleri olduğunu da biliyorum. Bunun için yapılması gereken, anlatıcı sesi hikâyeyi anlatan ve deneyimleyen karakterlerle çatışmayacak şekilde çeşitlendirmektir. Örneğin bu bölümün başında Clem'in California'ya, *hayaller ve felaketler şehrine* doğru yola çıktığını söylemiştim. Anlatıda nesnel olmayan bir kısım bu, Ses'in görüşü ve tercihi. Biraz imalı ve okura hikâyenin devamındaki tehlikeleri haber veriyor.

Herhangi bir anlatıcıdan daha ılımlı bir Ses bu, öte yandan doğru kullanılırsa okurun güvenebileceği, belki şaşıracağı, umuyorum ki, okuru yolculuğu sonuna götürmeye tekrar tekrar çağıracak bir şey olacaktır.

Ses her hikâyenin ayrıntılarda beliren vazgeçilmez parçasıdır. Hikâye bir ya da birden fazla konuşmacı tarafından anlatılır. Bu konuşmacılar bir araya gelip popüler bir şarkının nakaratı gibi okurun kulağına yapışan eşsiz bir müzik yaratır veya belki de okurun başucunda yakın bir arkadaş gibi güven verici bir eşlikçi olur. Tanısan da tanımasan da güvenebileceğin bir şeydir.

Yeniden Yazmak

Son zamanlardaki bir sohbeti aklında çevirip her sözü hatırladığın oluyor mu? Sözgelimi ilk buluşmada kendin hakkında bir şeyler geveleyip durdun. Ya da iş mülakatında adamın burnu hakkında bir şey söyledin. Burun ne alaka? Derdin ne senin? Ya da kişioğlunun biri memleketine hakaret ediyor ama nasıl bir cevap yapıştırman gerektiği ancak sonraki gün aklına geliyor.

Sözcükler ya sürekli ağzımızdan dökülüp durur ya da ihtiyacımız olduğu anda aklımıza gelmez. Eveleyip geveleriz, olmadık yerde gerçeği söyleriz, bazen de o an için doğru olan ama sonra öyle olmayan şeyler söyleriz.

Dilin yelpazesi ve esnekliği mükemmel ifadelere olanak tanısa da hataya ve yanılgıya da açıktır. Bu yüzdendir ki her konuşma potansiyel olarak bir mayın tarlasıdır.

O buluşmaya dönüp doğru soruları sormak güzel olmaz mıydı? O büyük burunlu adama iletişim konusundaki engin tecrübenden söz etmen gerekmez miydi? Sevgilin tam zamanında boynundan öptüğünde belki de uygun karşılık "Seni seviyorum" değildi.

Fakat gerçek şu ki, geriye dönmen mümkün değil.

Yoluna devam et. Boş ver. Unut gitsin. Olmuşa çare yok. İçinde kalan sözlerin telafisi yok. Niyetlerin ile eylemlerini ve kişiliğini her zaman örtüştüremezsin. Hayatın güzelliği kusurlarındadır – ve bunlarla başa çıkabilmekte.

Yazmanın güzelliğiyse daima geri dönme *imkânı* tanımasındadır, daha önce söylemek isteyip de söylemediğin sözcükleri bulup değişikler yapmanı mümkün kılmasındadır.

Yazmak *yeniden* yazmaktır. İlk taslak o ilk buluşmada zırvaladıklarındır. Kadın kendisine nasıl hissettiğini soran birini bekliyordur ama senin tüm söylediğin, *sonra ben de... sonra ben de... sonra ben de...* İlk taslağın çöpe atılması gerekir. İlk taslak fikrin başlangıcıdır, hikâyenin narin ipi. İkinci taslak biraz daha iyidir, sonra üçüncü, dördüncü, beşinci derken daha da iyiye gider. Yazmak yeniden yazmaktır – bol bol yeniden yazmak. O iş mülakatında söylemen gerekip de söyleyemediğin şeyi bildiğini sanıyorsun ama belki de zaten o işin peşine düşmen bir hataydı. Buluşmada yanlış şeyler söyledin ama sonraki gün aklına gelenleri söylemiş olsaydın ilişki belki de fiyasko olacaktı. Sen de biliyorsun öyle olduğunu.

Hikâyenin mükemmel olması gerekmez, en azından her sözcüğün ve sessizliğin tam yerine oturması gerekmez, böyle bir kusursuzluk bekleme. Hikâye yaşayan, nefes alan bir varlıktır, çoğu zaman tuhaflık ve sakillik içinde rahat eder. Hikâye kızı veya işi elde etmek, anne babanın dostlarının takdirini kazanmak değildir. Hikâyenin mekânı yanlış sözcüklerin doğru şeyleri söylediği olağanüstü sıradan, ifadesi zayıf, abes bir dünyadır.

"Bana dair hislerini merak ediyorum," dedi genç adam, çok iyi hatırladığı o ilk buluşmada.

"Yani... bilmem," diye karşılık verip bakışlarını uzaklara çevirdi kadın.

Yanlış soru ve cevap olmayan bir cevap. Belki on ikinci taslakta ulaştığın bu diyalog kesiti bu bölümün başındaki kişiyi gayet isabetli resmediyor: başta söyleyemediği sözleri dökülen bahtsız genç adam. Yazmak yeniden yazmaktır, seni doğru adrese götürecek olan yeniden yazmaktır.

Çoğumuz kendimizi açık ve doğru sözlerle ifade etme, saygı görme ve sevilme arzusunu anlarız. Kurmaca bu arzuların ne kadar imkânsız ve anlamsız olduğunu gösterir bize. Karakterlerimiz metafizik tsunaminin akabinde küçük bir kayıkta dengesini bulmaya çalışıyordur. Anlama arzularına karşılık gelen anlamı arıyorlardır. Sözcükler insan dünyasındaki en büyük hayatta kalma araçlarıdır.

Hayatın güzelliği kusurlarındadır – ve bunlarla başa çıkabilmekte. Yazmanın güzelliği de karakter ve olay örgüsüne, hikâyeye ve Ses'e dair kusurlarla başa çıkabilmektedir, nihayetinde kaçınılmaz olan başarısızlığı anlayıp kabul eden bir romanı kotarabilmektedir. Öğrenmenin yolu başarısızlıktan geçer. Başarısızlık neyin yanlış olduğunu söyler bize. Ayağa kalkıp mücadeleye devam etmenin tek sebebi başarısızlıktır, onun sayesindedir ki hatalara ve verdikleri acıya dair bir idrake ulaşırız.

Yeniden yazarak kendimize ve dilimize eğiliriz, kendimizi ve dilimizi geliştiririz. Bu süreci sevmen ve benimsemen gerekir. Kaytarma yok. "Elimden geleni yaptım" deme, daha fazlasını yapabileceğini biliyorsun. Ortada bir neden yokken mutluluk ya da parlak bir gelecek beklentisine girme.

Roman Dorian Gray'in portresi gibidir. Başlangıçta güzel, masum ve umut doludur. Ama zaman geçtikçe, kurmacanın günahlarını işledikçe portre kötüye gider, çürüme ve bozulmaya yüz tutar, hikâyeyi yeniden yazan ve altındaki gerçekliği keşfeden yazarın ağır çalışmasıyla ilişkilidir bu. Günahlarımızı ve başarısızlıklarımızı soğuran portre mükemmeliyetini kaybedip gerçeğin çürümüşlüğüne ve ufunetine bürünür.

Bir şey daha. Yeni yazarlar sık sık sorar bana: "Bay Mosley, bir romanın bittiğini nasıl anlıyorsunuz?" Cevabım her zaman hazırdır, mesele yeniden yazma mefhumunda yatar.

Bir taslağı bitirdiğimde kitabı yeniden okurum. Yanlış ya da iyi işlemeyen şeyler olduğunu görürüm. Yeni bir taslak oluşturup gerekli değişiklikleri yaparım. Yeniden okurum. Başka sorunlarla karşılaşırım ve bir kez daha yeniden yazarım. Bu süreç yirmi kez ya da daha fazla yinelenebilir. Sonunda defalarca değişmiş halini yeniden okuduğumda yine sorunlara rastlarım ama artık anlarım ki bunlara verecek bir cevabım yok. İşte o zaman kitap bitmiş demektir.

Roman asla mükemmel olmayacak, keza sen de.

N'aber?

Bir romanın çatılmasında doğaçlama önemli bir unsurdur. Hikâyeyi ve etrafındakileri büyük ölçüde uydurursun. Bu bakımdan roman yazmak Avrupai klasik müziğin modern yorumlarındaki matematik kesinlikten ziyade caz müziğe yakındır. Yanlış anlaşılmasın: Beethoven da gecelerce piyanoda doğaçlamalar yaparmış, üstelik eski Avrupa'da pek çok müzisyen enstrümanıyla düşünürmüş. Öte yandan bugün bize intikal eden müzik zamanla kurallara oturtulmuş, bir ölçüde de hem sınırları tanımlanmış hem de tanrılaştırılmıştır. Bu süreçte sanat dünyevi anlamda yaratıcı yönünü bir bakıma kaybetmiştir.

Peki müzik yapmakla roman yazmanın ne ilgisi var? Çok. Birçok insan bildiğini sandığından daha fazlasını bilir. Bu tür kişiler bilmediği şeyleri de bildiğini sanır. Bilmek ile bilmemek arasındaki bu gelgitli denge romanın çatılmasında açıkça görülebilir. Yarattığımız karakterler zihnimizde doğsa da bizimle aynı değildir. Örneğin Huckleberry Finn gibi başarılı bir karakter handiyse sayfadan dış dünyaya çıkıp milyonlarca insanın, kuşaklar boyu düşünürsek, milyarlarca okurun zihnine ve kalbine yerleşir. Kral Lear hakkında bildiklerimiz Shakespeare hakkında bildiklerimizden fazladır. Bu kurmaca karakterlere dair *hakikatler* uydurulmuştur – öyle olmak zorundadır. Birtakım bireylerin bilgilerinden ve tutkularından, korkularından ve nefretlerinden doğmuşlardır. Nitekim bu bireyler konuştukları şeyi hem bilir hem de bilmez. Başka şeylerin yanı sıra doğaçlamanın özü budur.

Diyelim ki Nora Lane adında genç bir siyah kadın olsun. Hukukla ilgili bir gerilim romanındaki ana karakterlerden biri. Roman Chicago'daki hukuk sistemini ve muhtelif cinsel taciz davasını konu alıyor. Nora yeni avukat olmuş ve önemli sonuçları olan bir davada büyük müvekkillere avukatlık yapıyor. Dava için Pittsburgh'dan gelmiş ve şehrin güneyinde bir daire tutmuş.

Nora her gün şehir merkezine gitmek için altı blok ötedeki tren istasyonuna yürüyor. Çok ciddi, hatta saplantılı bir alışkanlık insanı. Bu özellikleriyle mükemmel bir araştırmacı çünkü yöntemli çalışıyor, önyargı ve duyguya kapılmadan elindeki işin her ayrıntısına odaklanıyor.

Bir sabah romancı uyandığında Chicago'daki bir silahlı çatışma haberini okuyor. Bu olay Nora'nın mahallesinde olmuş. Yazar Nora gibi bir alışkanlık insanının yolunu değiştirmesi gerektiğinde ne olacağını merak ediyor.

Bu yeni bir gelişme, yazarın öngördüğü sıkı olay örgüsünü takip etmeyen bir şey. Polisin olay mahallinde olması nedeniyle Nora her zaman düz gittiği yoldan sola sapıyor.

Böylece alışık olmadığı tekinsiz bir mahalleden geçiyor. Islık çalıp laf atanlar oluyor, birkaç adam yolunu kesip dikkatini çekmeye çalışıyor. Bundan böyle taksi kullanmaya karar veriyor. Ama sonra başka bir gelişme oluyor.

Diyelim ki on dört yaşında genç bir kız merdivenlerde oturmuş ağlıyor. Dağılmış, teselli edilemez vaziyette. Nora duruyor, bu perişanlık tuhaf bir şekilde onu cezbediyor.

Yaşlı bir kadın kızın yanına gelip ona sarılıyor. Çocuk inleyip hıçkırarak birkaç soruya cevap veriyor, Nora bunları duyamıyor. Yaşlı kadın Nora'ya seslenerek gelip yardım etmesini söylüyor. Nora ağır ağır yaklaşıyor. Sokakta katledilenlerden birinin bu kızın erkek kardeşi olduğunu söylüyor kadın.

"Abisi mi?"
"Hayır."

Angelique adındaki bu çocuğa el verip yaşadığı tek göz odaya götürüyorlar. Yedinci kattaki bu daireyi on iki yaşındaki erkek kardeşiyle Perulu bir aileden kiralamış. B-Bear lakaplı kardeşi Bernard, Angelique'in tek yaşama nedeniydi. Bernard kız kardeşine göz kulak oluyordu ama Angelique maalesef onu koruyamadı...

Doğaçlamaya burada bir süre ara verebiliriz. Yazarın hikâyeye silahlı çatışma, kurban, kurbanın kız kardeşi, mahallenin yardımsever kadını gibi şeyleri dahil etme niyeti yoktu. Başlangıçta, hikâyedeki birtakım unsurları aydınlatacak ayrıksı bir âşık rolünde planladığı Nora katı saplantıları ve sıkı eğitiminin ötesinde bir şeyler görebilen joker kart haline geldi şimdi.

Yazdığımız hikâye yaşayan bir şeydir ve kendi görüşleri vardır. Yazar olarak bu kararların parçasıyız ama bu bize ya da zihnimizin bilinçli kısmına tam denetim vermez.

Yarattığımız gerçek karakterlerle doğaçlama yapmak farklı bakış açılarının hikâyeye girmesini sağlar. Silahlı çatışma, bu çatışmanın sonrasında gelişenler bu sayede hikâyeye dahil olur, anlatmak istediğimiz hikâyeyi ve anlatılması gereken hikâyeleri bu sayede buluruz. Unutmamalıyız ki basit bir hikâye düzeyinin üzerine çıkmayı hedefleyen bir romanın bu seviyeye çıkması sadece bilgimiz ve emin olduklarımız, eğitimimiz ve zekâmız sayesinde olmaz. Yazar risk almaya başladığında roman gelişip serpilir.

Ana karakterin yoluna silahlı çatışma, çete savaşı ve polisin kayıtsızlığını çıkarmak onun yolculuğunu (ve senin yazma sürecini) daha da zorlaştıracaktır. Ama aynı zamanda Nora'nın cinsiyetçiliğin gerçek kurbanları olan çocuklara dair merakının uyanmasını sağlayacaktır.

Başlangıçta bu bölünme mahkemedeki şaibeli ve tehlikeli davadan uzaklaşmamıza neden olan uzun bir dolambacı gerektirecektir. Böylelikle Nora anlama uzun yoldan ulaşacaktır. Çünkü yazarın söyleyip de bilmediği şeyi anlıyordur.

Yazar ile yazma, yeniden yazma ile yazmayı etkileyen *gerçek* dünya arasındaki ilişki bir tür muammadır. Zekânın, eğitimin, kültürlü olmanın, yazma tekniğinde ustalığın doğum sancıları çeken bir romana ket vurma ihtimali vardır. Hikâyenin varlık amacı yazarın zekâsını veya incelikli yorum gücünü sergilemek değildir. Roman yazarın yaşam enerjisini emmek, ahlaki ilkelerine meydan okumak, ondan daha canlı bir yaşam olduğunu söylemek için oradadır.

Bu minvalde romanın Ses'i, "Şu yola sapalım, bakalım oradan bir şeyler çıkarabilecek miyiz?" diye sorduğunda ona kulak versen iyi olur.

Nora yirmi dört yaşında. İlişki yaşama ihtimali olan adam, Sterling otuz iki yaşında. Çalıştığı ekibin kurtlarından biri. Amerikan yerlisi, Hopiler'den. Akla ziyan bir zekâsı var. Hiçbir aksama olmadan Harvard'dan mezun olup Oxford'a geçmiş, sonra da Yale'den hukuk diploması almış.

Her gün işe limuzinle gidiyor.

Ne var ki bir çarşamba günü, Nora'nın her günkü boktanlığı başka bir açıdan görmeye başlayıp gözleri açıldıktan sekiz gün sonra, Sterlin'in Tesla limuzini kısa devre yapıyor ve kalabalık bir kavşağın ortasında kalakalıyor. Nezih bir mahallede, dolayısıyla trene binmeye karar veriyor.

Sokaklarda hip hop yapan genç bir müzisyen, Adjoran bir noktada aynı trene biniyor, trende kendisi gibi insanların sabah işe giderkenki hallerine dair *rhyme*'lar atıyor. Açık görüşlü biri olan Sterling ona cömert bir bağış yapıyor.

Nora'nın işleri kötüye gitmeye başlıyor. Mahkemede Angelique'in avukatlığını yapıyor, B-Bear'ın katledilmesinin peşine düşmeyen polislerin başına dert açıyor, mahalledeki yardımsever kadının evine yerleşiyor.

Bir ihmal sonucu Sterling o akşam trene biraz geç biniyor ve ona zarar vermek isteyen gaspçılarla karşılaşıyor. Adjoran araya girip dayağa engel oluyor ama Sterling'in parasını ve değerli eşyalarını kaptırmasına engel olamıyor. Sterling, Adjoran'ın gaspın parçası olduğundan şüpheleniyor ama polise bunu söylemiyor.

Sonraki gün Sterling trene bindiğinde Adjoran'ı görüyor. Genç adama gaspın parçası olduğunu bildiğini söylüyor. Adjoran gülümseyip Sterling'in o havalı okullardan birine gittiğini görebildiğini, dolayısıyla ona cuk oturan bir *rhyme*'ı olduğunu söylüyor. İki adamı kıyaslayan, Latince sözlerin de olduğu güzel bir İngilizce rap şarkısı söylüyor. Adjoran Latince "karanlık" anlamına gelen *hadria*'dan geliyor: Tek görebildiği zifiri karanlık.

Elbette Adjoran'ın da ardında bir hikâyesi var. Ama şu anda önemli olan, Sterling'in kendinden nefretini anlamaya başlıyor olması. Nora'nın faaliyetlerini gizliyor ve bir süre sonra ona yardım etmeye başlıyor. Adjoran, Nora ile Sterling'in yaptıklarını duyduğunda şöyle diyor: "Mezarlıkta çim biçmek gibi. Oh ne âlâ."

Anlattığımız hikâyedeki gerçeği biliyor olabiliriz ama ipleri sıkı sıkıya elimizde tutmadığımızı göz önüne aldığımızda, hikâyenin –şayet yürekten geliyorsa– daha fazlasını bildiğini de anlarız.

Habire Doğaçlamak

Önceki bölümde bir dolambaçtan, mecburi bir doğaçlamadan söz ettik, ki karaktere ve anlatılan hikâyeye doğrudan, güçlü bir etkisi vardır bunun. Nora'nın yolculuğu Sterling'le beraber üzerinde çalıştığı davayla ilintili bir dünyaya götürür onu. Bağlantıyı başlangıçta göremesek de Nora'nın yolculuğu devam ettikçe ve olaylara dahil oldukça bağlantı netleşir. İfşa yapısıyla ilişkili olarak bu sapma anlattığımız hikâyedeki bütün karakterleri birbirine yaklaştırır, zira Angelique ve muhtaç kardeşinin maruz kaldığı cinsiyetçilikle iç içe geçmiş ırkçılık onları Chicago sakinleri arasındaki en savunmasız kişiler haline getirir.

Yazar Nora'nın katı kişiliğiyle beraber güncel bir haberden etkilenmiştir. Yeni eklenen karmaşık katman sayesinde aksi takdirde didaktik hale gelebilecek hikâye yeni bir surete bürünür. Öte yandan ironiktir, B-Bear'ın öldürülmesi ve Nora'nın yolunu değiştirmesi hikâyenin vaazcılığını daha da belli eder, bu da doğaçlamanın ahlakçılığa bulaştığını, müesses cinsiyetçiliğin tabutuna çakılan bir başka çivi haline geldiğini gösterir. Böyle bir hedefimiz olsa bile roman yazıyor olduğumuzu unutmamamız gerekir, roman yazmak başka kurallara göre hareket etmeyi gerektirir. Şöyle bir kendimize soralım: Nora sola değil de sağa dönseydi ne olurdu?

Kendisi hakkında bir şeyler biliyor gibi görünen bir adamla karşılaşsa ne olurdu? Aslında bilmiyor ama duygusal ya da bilinçdışı bir şeyler nedeniyle Nora adamın onun hakkında bir şeyler bildiğini düşünmeye meylediyor. Belki de bu adam Nora ile ekibinin erkekleri iktidarsızlaştırmaya çalıştığını düşünüyordur. Hikâye için iyi bir karşıtlık unsuru olabilir ama hâlâ kendini aşmakta zorlanan bir fikre takılmış durumdayız.

Hikâyeyle ilgili huzursuzluğumuz nedeniyle yaptığımız doğaçlamaların temeldeki argümanlarımıza sık sıkıya bağlı kalma isteğimize dayandığını öğrenmiş olduk. Ama öğrenecek bir şey yoksa neden roman yazalım? Amaç bilgilendirmek, öğretmek ve açıklamaksa neden roman yazalım ki? Bir çiftçi bahara nasıl inanıyorsa sen de bu hikâyenin siyasetine inanıyorsun. Peki bu çiftçi uzaklara bakıp da bir mil genişliğinde bir alanı kaplayan bir tornadonun çiftliğine yaklaştığını gördüğünde ne düşünür?

Doğru soru bu.

Ölümcül bir fırtına çökmüştür üzerimize; benliğimizi, umutlarımızı, inançlarımızı yok etmek üzere gönderilen bir şeytan gibi. Romanın atmosferi budur. Buna bir de Nora'nın katı kişilik özelliklerinin atmosferini eklediğinizde (ki bunlar karakter özellikleri değil cinsliklerdir) yüzeyin –fırtına ile yeryüzünün temas noktasının– altındaki insanlık durumunun derinlerine dalma imkânını yakalamış olursunuz.

Dolayısıyla...

Nora'nın günlük yürüyüşü ilerideki polis çevirmesi nedeniyle kesintiye uğruyor. Sol elindeki karton bardakta sabahları içtiği latte var. Öbür elinde sıkı sıkıya tuttuğu evrak çantası. Yaptığı ve yapacağı araştırmalara kafa yoruyor. Özgüvenle düzenli nefes alıyor. Erkek arkadaşı Tibor öğle vakti Pittsburgh'dan –Chicago saatiyle on birde– onu arayacak. Her şey dengeli, yerli yerinde.

"Yolunuzu değiştirmeniz gerek hanımefendi," diyor bir polis memuru. "Bu blokta silahlı çatışma yaşandı."

Nora kadına bakıp yüzünü buruşturuyor, fiziksel olmayan bir acı hissediyor.

"Yolunuzu değiştirmeniz gerekecek," diye tekrarlıyor polis.

Nora blokun ötesine, sola doğru bakıyor. Sanki sonsuz uzayan bir yol.

"Hanımefendi," diye ısrar ediyor polis.

Nora sola döndüğünde düşünceleri karman çorman oluyor.

Sol ayağı sağ ayağından daha ağır geliyor ona, güneş de gözlerini rahatsız eden bir açıdan vuruyor. Bu rahatsız edici aksiliğin üzerine lattesini çöpe atmaya karar veriyor ama kafası yerinde olmadığı için yanlışlıkla evrak çantasını çöpe atıyor.

İki blok sonra bir otobüs durağındaki banka oturup ağlamaya başlıyor. Bir adam yaklaşıp derdini soruyor.

"Bir şeyim yok," diyor zihni vücudundaki sızıdan kopmuş halde.

Yaşlı bir kadın yaklaşıp aynı soruyu soruyor.

"Her şey bitti," diyerek hayıflanıyor Nora.

Nora'nın hikâyesinin buradan nereye gideceğini bilmiyorum. Bu da hikâyenin parçası olacak çünkü hikâyenin kendi seyrinde ortaya çıktı. Roman fikirler hakkında olduğu kadar insanlar ve onların değişme kabiliyetleri hakkındadır. Roman akış çizelgesi, proje planı, GPS haritası veya batı yönünü gösteren uzak yıldızlar değildir. Nora'nın ruhsal çöküşü çığırından çıkmış bir dünyaya zihnen ve bedenen verdiği karşılıktan kaynaklanır. O dünya ki kanın kimyası ve zihnin simyasıdır.

Bu ruhsal çöküntü, bu ıstırap bize Nora'nın kalbindeki mihenk taşını gösterir. Evrak çantasını çöpe atması belki olay örgüsüne bir şey katabilir. İş arkadaşlarının ona verdiği tepkiler ahlakçılık tasladıkları dünyadaki konumlarına dair pek çok şeyi açığa çıkaracaktır, bu da romancının özeleştiri yapmasını sağlayacak bir şey haline gelecektir.

Nora'nın hikâyesi kendi ayakları üstünde duruyor, adli gerilim romanı çizgisinden çıktığında bile bu dünyadaki yerini kaybetmiyor.

Bu son mefhum bilinçli olarak ortaya koymak istediğimiz meseleden uzaklaşabilmemiz açısından önemli. Kurmaca kadar hayat da dramlarla örülüdür. İyi ve kötü, doğru ve yanlış başkalaşarak gri ve mor, turuncu ve yeşil tonlara bürünür. Hayatı sevmek ve farkları önemsemek bizi aşkınlık ânına götürür. Sevgi kural kanun tanımaz. İnsan doğası bize gelgitler, dalgalar gibi hükmeder, nefes nefese kalmak ve nice açlık bizi bir o yana bir bu yana savurur.

Romanını boğmaya başlayan iyi niyetlerden sıyrılma ihtiyacı duyuyorsun. Doğaçlama bunu başarmanın iyi bir yolu. Bu araca başvurduğunda sıradan, gündelik, alelade olanı kullanmayı aklından çıkarma.

Sözgelimi evde bir fare var. Akşamın bir vakti duvarların içinde dolanırken sesi duyuluyor. Sol dizde bir ağrı. Bir başlığa takılıp kalmana neden olan, hafızanda yer etmiş bir müzik.

Başlangıç noktan güncel bir haber ya da annenin sürekli yanlış söylediği eski bir deyim olabilir. Pek de yavan olmayan bir şey de olabilir. Doktor kanser teşhisi koymuştur – ya sana ya eski öğretmenine ya da bir arkadaşına. Aslında bu da her gün binlerce kez olan alelade bir şeydir.

Doğaçlamanın çıkış noktasının başlangıçta verimsiz olması yanlış bir adım olduğu anlamına gelmez. Belki de yazar henüz yeterince yol kat etmemiştir. Belki yazar bu yoldan korktuğu için kendini vermek istemiyordur. Peki, kadın kahramanımız hayatı boyunca adım adım yaklaştığı mesleki bir eşikten geçerken bu vahim teşhis annesine, kız kardeşine ya da kızına konsa ne olurdu?

Yankılar ve İzler

Buraya kadar yazdıklarımı geri dönüp tekrar okuduğumda farkında olmadan önemli bir konuyu ihmal ettiğimi görüyorum; kurmaca yazımına dair temel bir kaideyi ortaya koyup daha incelikli ve derinlikli sesler veren bir yankı eklemeyi.

Anlatıcı sesin az çok ayrıntılarına girdik. Bir romanın temeli hikâyeyi anlatmak için kullanılan ses ya da seslerdir, demiştim. Sonra romandaki *öteki* Ses'ten söz ettim. Bu belli belirsiz Ses çevreye, tavra, atmosfere, mekâna, kişiye özgü (yadırgatıcı olabilecek) dünya algısına eklemlenen bir yankıdır.

Karakter gelişimini sağlama almak ve yolculuğu sürdürmek için karakter etkileşimi örneğini kullanmıştım. Bu bağlantılar yerinde kullanıldığında iç dünyada gelişen değişimleri bize bunların ne olduğunu açıkça söylemeden ortaya serer. Boş sayfadan söz ederken de şu fikirle karşılaşmıştık: Boşluk yazarın zihnindeki bir yığın bilgi, umut ve niyet nedeniyle oradadır. Bu da bizi korkuya kapılmış olgun yazar ile içimizdeki cesur çocuk sanatçıyı yan yana getirmeye sevk etmişti.

Yazarın zihninden söz ederken şu gerçeğe bağlı kalmıştım: Roman bilincin kapasitesini aşar, öyle olmak zorundadır.

Romancının bilinci bazen katlanılmazdır. Bir fikre takılıp kalır, bu yüzden oyun hissiyatını, gerçek dramı, eserin insana dair olduğunu unutur. Roman yavaş yavaş toplumsal cinsiyet ilişkileri ya da Hawaii'nin tarihi üstüne bir inceleme haline gelir; salt düşünceler, fikirler ve ideallerle işlenmiş bir şeye dönüşür. Yazı dinsel bir tonlamaya bürünür, savunduğu hakikatleri karakterlerin konuşmasına, hatta düşünmesine fırsat vermeden ortaya serer.

Roman yazarın kafasından daha büyüktür. Roman dağdır, yazarsa karınca. Yazar başlangıçta romanın geniş ve düz bir ova olduğunu düşünse de aslında küre biçiminde bir gezegendir. Roman bir keşif âlemidir; mesele karakterlerin, yazarın, akşam haberlerinin bir araya gelip hiçbirinin daha önceden bilmediği, bilemeyeceği bir şey yaratmaktır.

Bu sorunları ele alırken dramatik doğaçlama araçları kullanarak karakterleri farklı şekillerde düşünmeye, eylemeye ve tepki vermeye sevk ettik. Bu bazen işe yarar, bazen yaramaz. Bir yaklaşım sorunu çözmüyor olsa da cevabı kısmen açığa çıkarmış olabilir. Nora sola döndü – olmadı. Peki sağa dönse ne olur? Bu da plana pek uymuyor. Öte yandan başkarakterin bir yere gitmek zorunda olduğunu öğrendik. Bir süre düşünüp taşındıktan sonra bu hareketin belki de fiziksel olmayacağı belli oldu; belki de içinde, zihninde gerçekleşecek hareket. Karakterin akıl sağlığı kadar, herkesi hüsrana uğratan çığırından çıkmış adalet sistemi de işin içinde.

Böyle bir değişim dinamiktir. Yazar dünyayı yerinden oynatarak Musa'nın Kızıldeniz'deki mucizesine benzer bir güçle hikâyeyi ele geçirir. Bu değişimlere eşlik edip etmemek okura kalmış.

Romana bu dinamik yaklaşımın değeri açıktır. Bir değişim gerektiğinde bunu yaparsın. Mesele yazarın bilinçli arzularını dışarıda tutmaktır. Yani doğaçlama potansiyel olarak iyi bir araçtır ama eline yüzüne bulaştırmaya da müsaittir.

Hikâyenin kapsamını genişletmeye yönelik kullandığımız değişimleri elekten geçirmek için bilimsel bir terime de başvurabiliriz: *eser element*. Pozitif bilimlerde belli bir çevrede sadece iz miktarda bulunan kimyasal elementleri ifade etmek için kullanılır bu terim. Bu izler bir organizmanın ya da atmosferin sağlığı ve devamı için elzemdir. Varlıkları zorunludur ama görünmezlerdir.

Kurmaca bilimsel bir deney olmasa da iyi bir romanda hikâyeyi derinleştiren, daha güçlü kılan ve eğlenceli hale getiren birtakım ipuçları ve kırıntılar vardır. Aklı başında olmayan bir kadının bir çocuğa verdiği nasihat, eğer doğru şekillendirilirse, okurda duygudaşlık yaratabilir. Kadının küçük kızın hayatına getirdiği uyumsuzluk ve hakikat nedeniyle okur daha fazlasını bilmek isteyecektir. Bu etkileşimin hikâyeyle somut bir bağlantısı olmayabilir ama bu olmadan sahnedeki ışıklar azalır ve ortam loşlaşır. Birkaç satırlık bir diyalog beklenmedik şekilde sayfadan okurun kalbine bir titreşim gönderir, romanın devamını getirir.

Bu eser elementler pek çok biçime bürünebilir: hava, yan daireden gelen müzik sesi, haftalardır yaşıyor gibi görünen bir sinek. Komşusunun uzun süredir yaptığı diyetin bir karakterin hayatına etkisi veya zamanı asla doğru göstermeyen bir saat eser element olabilir.

Diyelim ki Nora dengesiz bir ruh halinde olduğu bir sırada, sıcak bir Chicago gecesinde klimasız oturma odasının penceresini açık bırakıyor. Ertesi sabah rüyasında annesini görüyor. Bu rüyayı daha önce görmüştü. Her defasında kayıpla sonlanan üzücü bir rüya. Sonra mutfakla iç içe olan oturma odasından rüyasındaki kadar üzücü bir ses geliyor.

Hafif yaralanmış bir kumru pencereden girmiş. Nora odaya girdiğinde yangın merdiveninden içeri girmek üzere olan bir sokak kedisini görüyor. Kediyi kışkışlıyor, sonra kuşun çöp kutusundaki susamlı ekmeğin üzerindeki taneleri yediğini görüyor. Nora masaya bir susamlı ekmek daha koyup kuşa bırakıyor. Bütün bunları pek de düşünmeden yapıyor.

Söz konusu olan kuş tüylerine, gagalara dair bir ornitoloji risalesi ya da insanlar dışındaki şehir sakinlerine dair bir inceleme değil. Dişi kumru Shelly ve eşi Mağrur Peter, Nora'ya dair, romanın geri kalanının bize gösteremeyeceği şeyleri açığa çıkarmak üzere orada. Belki de kuşlar Nora'nın ruhsal çöküntüsünü atlatmasına yardım edecek, belki de bu bir işe yaramayacak. Önemli değil çünkü roman biricik bir sonu olan tek bir hikâye değildir. Destanın sonuna giden pek çok hikâye, istikamet ve ucu açık parça vardır. Roman derindir, yazarsa sınırlıdır. Karakterler huysuz, ketum, bilgisizdir; duvarda güven vermeyen bir saatin tik taklarının geriliminde, yazarı iyi kullandığı eli bağlı bir çilingir haline getirirler.

Daha ince izler de vardır. Renkler ve tonlar, ışık ve gölge, dua sesleri ve sonsuzluğun apaçıklığı. Belki de Nora kafasında evirip çevirdiği bir düşünceyi ne zaman tamamlamak üzere olsa aşırı gürültülü bir tren geçip düşüncenin ucunu kaçırmasına neden oluyordur. Pencereden bakıldığında sıra sıra birkaç katlı evler ve bunların gökdelen camlarındaki yansımaları görünüyor. Bu unsurlar, bu belli belirsiz işaretler romanda şekillendirebileceğin herhangi bir dramatik konuşma kadar önem arz edebilir.

Pencereyi aç, sonra şöyle bir kestir. Romanının dünyasına gözlerini aç, anlattığın hikâyeye değil. Böceklerin ve kumruların, haberlerin ve dolambaçların olduğu koca bir dünya var. Romanın bu dünyanın içinde, okurlarının zihninde. Doğaçlamalar ve eser elementler, bir anda aklına gelen şarkı, ayak parmaklarının arasındaki kaşıntı, bütün bunlar yarattığın dünya ve seni yaratmakta olan dünya için potansiyel olarak gereklidir.

Şöyle Bir Soluklanalım Yine

Bugünün dünyasındaki yazarlar olarak zanaatımızla alakası olmayan her tür beklentiyle karşı karşıyayız. Bu talepler okurların ve yayıncıların uzmanlaşma arzusu, kitap piyasası, her cenahtan siyasi görüşler, yükseköğrenim kurumlarının siyasi ve iktisadi hedefleriyle ortaya çıkıyor.

Birisi, "Ne iş yapıyorsun," diye sorduğunda, "Yazarım," diyorsun. Duvarcıyım, muhasebeciyim, hemşireyim, aşçıyım demek gibi. Yazarlık da benzer bir şey. Ama hayır. Kim olduğunuzu biliyor muyum acaba, sorusu geliyor sonra. Ne türden bir yazar? Senaryo mu yazıyorsun, roman mı, şiir mi? Yayımlanmış kitabın var mı? Hangi yayınevi? Bununla mı geçiniyorsun? Kitaplarınızı nerede bulabilirim? İyi bir yazar mısınız?

Geçenlerde bir kadın sordu: "Kitaplarınız on sekiz yaş altına uygun mu?"

Duvarcıya, "İşinde iyi misin peki," diye sorsan muhtemelen kafana tuğlayı yersin.

Bütün bu sorular bir yana, aslında çok az insan yazdığın şeyleri okumak ister, hele ismini duymamışlarsa şansın daha da azdır. İsmini duymuş olsalar bile çene çalıp dururlar sadece.

Çok okuman gerek. Böyle denir ya çoğu zaman. Bunun soruya açık bir tarafı yok aslında, hava güzel ya da kötü demek gibi apaçık bir gerçek. Hep söylerim, okumak modern dünyanın önemli bir parçasıdır. Yeniden okumak zihni sağlamlaştırır. Öte yandan okumak ve yazmak aslında birbiriyle o kadar da ilişkili değildir. Ne de olsa Batı'da roman geleneğinin babalarından biri Homeros'tur, ki okuma yazma bilmeyen kör biriydi o.

Senaryo yazıyorsan insanlar seni daha kolay kabul eder, çünkü senin aracılığınla bir film yıldızıyla tanışma fırsatı yakaladıklarını düşünürler. Üstelik herkes çok televizyon izlediği için senaryonun ne olduğunu bildiğini sanır.

Romancıların ve şairlerin kabul görmesi o kadar kolay değildir. Örneğin bana sık sık sorulan bir soru var: Hangi okuldan mezunsunuz? Ben de şunu sorayım o zaman: Ne zamandan beri üniversiteler çağdaş edebiyata giriş pasaportu veriyor? Tarihteki büyük yazarların kaçı on iki yaşından sonra eğitim görmüştür? Adamın biri kitabını okuduktan sonra sana diyor ki, Gide'in aşağısında kalmış. Hakkaten mi? Kitabını okuyan adamın biri çıkmış kitabını eksik buluyor. Peki neye göre? Artık o da kimse, Gide diye bir herife göre.

Üniversitelerden hep züppe tipler çıkmıştır, en iyileri okudukları için en iyisini bildiklerini sanırlar. Ama tarihe bakıldığında yazar olmak için gidilen yerin üniversite olmadığı açıktır. Son yüzyılda giderek artan sayıda yazar üniversite eğitiminden geçmiştir ama uzun süre çoğu okulda yaratıcı yazarlık bölümü yoktu. Yazmak yerine halihazırda yazılmış olan şeyleri öğretmeyi amaçlıyorlardı.

Günümüzde kâr güdümlü açgözlü üniversiteler altın madenini keşfedip lisans ve yüksek lisans düzeyinde yaratıcı yazarlık programları açmaya başladı. Piyasada şöyle böyle başarı yakalamış profesyonel yazarların atölyesine katılmak için yılda yirmi, otuz, kırk, seksen bin dolar ödüyorsun. Bu programlardan hiçbirinin eğitmenlere ders vermeyi bilip bilmediğini sorduğunu sanmıyorum.

Bu eğitimsiz eğitimciler Shakespeare, T.S. Eliot, George Eliot ve Toni Morrison üstüne konuşuyor. Yazdıklarınızı okuyorlar çünkü bunun için maaş alıyorlar. Öğrencilerin küstahlıklarına sabrediyorlar çünkü bunun için para alıyorlar.

Yazarlar için bu iş imkânı başlangıçta şairlerimiz, romancılarımız, biyografi yazarlarımız ve usta öykücülerimiz için bir nimet gibiydi.

> "Tobias Major'ı biliyor musun?" diye soruyor İngiliz Edebiyatı bölüm başkanı Wall Street mezunu birine.
>
> "Birkaç yıl önce Pulitzer'ı kazanmadı mı o?"
>
> "Bizim bölüme aldık onu."

Aldık onu – ders veriyor, bölüm toplantılarına katılıyor, ödevleri okuyor, akşam yemeklerinde davetiye alacak kadar varlıklı mezunlarla dirsek dirseğe oturuyor. *Aldık onu...* taşaklarına kadar. Biz yazarlardan yayıncı şirketleri ayakta tutmamız, sonra da prestijli okulların sandıklarını doldurmamız beklenir. Düşünsene. Orada yazmak yerine onlarca öğrenciye ders veriyorsun, her biri steril dersliklerde karşında oturmak için sekiz bin dolar ödüyor. Ders başına hesaplayıp toplandığında doksan altı bin dolar ödüyorlar, çoğu hocaya da belki on beş bin dolar ödeniyor: Okul ve –parlak bir yazarlık kariyeri beklentisiyle fena halde borca girmeye hazır genç öğrencileri oltaya getirmek için kullandıkları ödüllü götü kalkmış– yazar için ders başına seksen bir bin dolar kâr demek bu.

Nasıl ki savaş, yoksulluk, ruhsal bozukluk, iyi mizah anlayışı ya da anlattığın hikâyeleri beğenen bir anne baba seni iyi yazar yapmıyorsa üniversite de seni iyi yazar yapmaz. Üniversitede ders veren çok yazar tanıyorum. Hiçbirinin iyi bir metinle karşılaşıp umut dolu yazar adayına şöyle dediğini duymadım: "Sen doğuştan yeteneklisin, üniversite eğitimi senin için zararlı. Vebalıymışız gibi uzak dur bizden." Kimse böyle bir şey söylemez çünkü onların işi para kazanmaktır, iyi yazar ve iyi yazı değildir.

Yanlış anlama. Yazı atölyelerinin ve programlarının yeniyetme yazarlara çok faydalı olabileceğini düşünüyorum. Seninle aynı düzeydeki öbür yazar adaylarıyla tanışmana ortam sağlarlar. Kendi sesini geliştirme fırsatın olur. Yazmayı umursayan, sana becerilerini yontma yollarını gösterebilecek, hatta belki birkaç sayfanı gün yüzüne çıkarıp yayımlatmanı sağlayacak kişilerle tanışabilirsin. Yani hiç de fena bir başlangıç değil.

Ama unutma: Ne sen ne de hoca üniversitenin malı,

Shakespeare'in yazdıkları da. Deneyimin ederinden daha fazlasını ödeme asla. Ayrıca bir gün sen de hoca olmak için yazar olmuyorsun.

İnsanların, kurumların, iktisadi yapıların beklentileri tanımlamasın seni. Bunları bir kenara bırak. Kendin için değil yazdıkların için en iyisi neyse onu düşün. Her sabah üç saatlik çalışmana bağlı kal. Beklentilere aldırma. Hayatta kalmak için ne yapman gerekiyorsa onu yap, unutma ki arzun canlı olmadığı sürece beden anlamını yitirir.

Toparlarsak

Baş. Orta. Son. "Bir varmış bir yokmuş"tan "böylece sonsuza dek mutlu"ya kadar en basit haliyle hikâye budur. Hikâye dünyayı bir düzene oturtur. Hayal gücünü ateşler, okurları yazarın bile önceden hayal edemediği yerlere götürür. Hikâye başlangıçta göründüğünden başka bir şey haline gelir yavaş yavaş, bir bebeğin büyüyüp belli bir kişilik kazanması gibi. Bu umut öyle güzeldir ki hızla gerçekleşmiş olması bile bizi, okurları ve yazarları melankoli ve minnet duygusuyla doldurur.

Her şeyin ifşa olduğu bu yere varmak için bizi her şekilde ele geçirecek, aşacak, önemsizleştirecek bir şeyin peşine düşen fırtına avcıları olmamız gerekir. Bu kuvveti ehlileştirmek için kullanabileceğimiz bir silah, kazanılacak bir savaş yok. Fırtınayı alt etmemiz mümkün değil, bu yüzden nihayetinde esiri olana kadar bizi defalarca fethedeceğini kabul etmemiz gerekir.

Ancak bu esaret konumunda kasırganın akıl almaz güçteki görünmez rüzgârları arasındaki sürtünmelerde beliren hikâyenin ince fısıltılarına nüfuz edebiliriz.

Baş. Orta. Son. Şöyle bir kara roman alıştırması.

baş

O kadınla bir barda tanıştım. Yanlış anlaşılmasın. Güzeldi güzel olmasına ama biraz rüküştü bence. Fakat gülümsemesiyle şöyle diyordu sanki: "Gel de bir şey ısmarla salak herif."

orta

Kadının yanında duran adam ortamdaki öbür erkeklerden en az bir baş uzundu. Adam beni gördüğünde dik dik bakıp yumruğunu sıktı, Sonny Liston'ı utandıracak bir şeydi bu.

"Selam," dedi kadın. "Ben Doris. Bu da arkadaşım Pitt."

son

Pitt öldü, ben de zilzurna sarhoşum. Kendini Doris diye tanıtan kadının dudaklarında hâlâ aynı gülümseme var; değiştirilmesi veya pazarlık edilmesi mümkün olmayan bir gülümseme. Sanki şöyle diyen bir gülümseme: "Kim olduğunu biliyorum tabii," deyip sonra şöyle diyen, "ne olmuş yani?"

Yukarıda, uçsuz bucaksız ovaların sahibi olan çiftçinin üzerine çöken bir mil genişliğindeki tornadonun ana hatlarını görebiliriz. Öte yandan fırtınayı görmek tanımlamakla aynı şey değildir. Doğanın bu saldırısından nefret etmek, korkmak ya da onu sevmek bir şeyi değiştirmez. Çiftçimizin yapabileceği tek şey saldırıdan sağ çıkmaktır. Eylem halindeki karakterdir bu. Kim olduğunu, sonunda hayatta kalmasına ya da yok olmasına yol açacak gelişimini öğrendiğimiz yerdir burası.

Hikâyenin yapısı kabataslak bir şema ya da çizelgeden ziyade ekinlerin serpildiği, çocukların büyüdüğü, anne babaların yaşlandığı dünyevi gerçekliği paramparça eden, doğanın temel güçlerinden gelen taşkın bir saldırıdır. Belki hayatta kalmak rüzgâra dayanıklı demir bir küvet sayesinde olacaktır veya ihtiyarın –onca yıldır kendini ilk kez canlı hissettiği bir hareketle– kan içindeki parmaklarıyla bir yere tutunmasıyla.

Yapı bilinçli zihnin tam olarak kavrayamayacağı kadar karmaşık olsa da bu durum yazarın (sonra da okurların) hayal gücünün derinliklerinden kurgusal bir dünya oluşturmasını engellemez.

Boş sayfanın verdiği korku harpten sağ çıkamayacağımıza dair körü körüne kapıldığımız korkuya benzer. Ama sonrasında karakterlerimizin ve dünyalarının neyden ve nasıl oluştuğunu görmeye başlarız – yeniden yazmanın ilk adımıdır bu. Bu dünyayı yazarken işin içine pek çok karşıt kuvvet dahil olur: korkaklık da kahramanlık da, vaatler de yalanlar da, beklenmedik nimetler de sevgiyi bile alt eden karamsarlık da.

Roman öfke ve şehvetten ibaret değildir tabii. Fikirler ve kavramlar da vardır. Roman ilksel zekâya sahip bir varlık olsa da başlıca tutkulardan ve içgüdülerden oluşur.

Hikâye bir ya da birden fazla anlatıcıyla aktarılır. Nitekim hikâye de tutarlı bir Ses haline gelen bir dilden oluşur. Karakterler girip çıkar, anlatının getirdikleri ve yazarın düşündükleri üstüne yorum yaparlar. Tabelalar, imgeler ve diyalog hikâyenin anlatıcı sesinin dayattığı kesinlik tahakkümünü kırar.

Bütün bunlar somut bir dünyada bir araya gelir, ki o dünya hikâyeyi sürükleyici hale getirir, karakterlerle ve onların bu çoğu zaman kayıtsız manzarada anlam bulma çabalarıyla birlikte hikâyenin yuvası olur. Bu maddi çevreyi tasvir etmek yazarı zorlar çünkü insan duyularının algılayabildiği kadarıyla bir sınırı yoktur. İplerinden boşanan tutkuları yansıtmaya, canlandırmaya ve cisimleştirmeye yönelik doğru araçları ve mekânları kullanmamız gerekir.

Bu duygular gün yüzüne çıktığında da onları tasvir etmemiz gerekir. Bu da kolay iş değildir, çünkü sevgi hiçbir zaman sevgiden ibaret değildir, keza nefret hiçbir zaman sadece nefret değildir. İnsan yüreğindeki her telin eşsiz bir titreşimi vardır, her birinin olabildiğince kendi koşullarında anlaşılması gerekir.

Daha önce olup biten her şey gerçek dünyadaki fiziksel ve duygusal deneyimler aracılığıyla ulaşır yazara. Dünyamız bütün duyularımıza hücum etse de ancak sözcüklerde ifade bulur. Biz yazarların elindeki tek alet okurların kendi eşsiz kişilikleri ve zekâlarıyla dönüştüreceği karmaşık deneyimleri sözcüklerle kurgulama yetisidir.

İşte bu dönüşüm bizi şiire getiriyor.

Okuduğum lisede Nathan adında bir çocuk vardı. Orta düzeyde öğrenme bozuklukları ve duygusal sorunları vardı. Nathan sözcüklerle kendini kolay ifade eden biri değildi, bu yüzden bazı soruları yanıtlarken veya bazı isteklerde bulunurken pantomim hareketleri yapardı. Yemekhanede kimi çocuklar Nathan'ın yanıt verirken nasıl eğilip bükületeğini görmek için ona sorular sorardı. Bu sorular genelde kötü niyetli olsa da o bunlara aldırmazdı.

Bir gün birisi şöyle bir şey sordu: "Peki güneş hakkında ne düşünüyorsun Nathan?"

Alışılmadık biçimde kaşlarını çattı, sonra dizlerini kırıp dörtayak üstünde durur gibi bir duruşa geçti. Ardından yavaşça doğrulmaya koyuldu, kalkarken ellerini havaya uzattı. Dimdik olduğunda parmaklarını genişçe açtı, kollarını başının yukarısında doksan derecelik açıyla büktü. Yüzünde kocaman bir gülümseme belirdi, sırıtıyordu demek daha doğru olur aslında. Yüzü neşeyle kızardı. Hiç kuşkusuz lisede gördüğüm en güzel şeydi.

Nathan'daki şiir en azından bu sözcüklerde yaşamaya devam edecek kadar güçlüydü. Ondaki maharet romanlarımızda da varsa şanslıyız demektir. Öylesine sorulmuş içi boş bir soruya verdiği fiziksel yanıt soruyu, güneşi ve bu ikisine dair hislerini nasıl anladığını gösteriyordu.

Romanımız derin bir mağaradan geçer, her yandan içerdiği seslerin yankıları gelir. Bu sesler hikâye sona erene kadar kesilmez, hatta roman bittikten sonra bile bir süre devam eder. Dolayısıyla okuduğumuz ilk sözler "Ishmael deyin bana" olduğunda biliriz ki o isim roman boyunca kafamızda çınlayacak ve roman bittikten sonra da aklımıza kazınacaktır. Kitap boyunca defalarca duyduğumuz isimler ve karakterler, mekânlar ve korkular olacaktır. İşte Ahab ve Queequeg, Moby Dick ve aşçı, zıpkınlar ve alabildiğine umutsuz bir arayış.

Bu isimler, mekânlar, fikirler ve korkular iç içe geçip harmanlanır, sadece arada bir kesintiye uğrayarak okura ve karakterlere nefes alma boşlukları verir. Bu atmosfer, bu alttan alta hissedilen titreşim romanın ruhudur. Üzerine çalışılması ve yontulması gerekir, patırtılar ve örüntüler canlı bir varlığa dönüşene dek tekrar tekrar yorumlanması ve yeniden yazılması gerekir.

Romanını yazman gözüne sonsuz bir uğraş gibi gelecektir: yanardöner metaforların yansımaları, sert adamların afra tafraları, içe işleyen delilikler, tesadüfler, trajediler... Bütün bunlarla beraber seni bir yandan çileden çıkaracak, bir yandan sevinçten havalara uçuracak. Özgüvenle ama aynı zamanda tevazuyla yaklaşırsan romana, kendine dersler çıkarman bile muhtemel.

Bu kitabın amacı taslak fikirler ve örneklerle kendi zihnine nasıl derin dalışlar yapabileceğini göstererek uğraşıp didinmeye, binlerce saat harcamaya değer bir dünyayı ve doğru sözcükleri gün yüzüne çıkarmanı sağlamaktı.